Soulevez des montagnes

Catalogage avant publication de Bibliothèque et Archives Canada

Cabana, Guy

Soulevez des montagnes

(Collection Psychologie)

ISBN 2-7640-0993-3

1. Succès – Aspect psychologique. 2. Réalisation de soi. I. Titre. II. Collection: Collection Psychologie (Éditions Quebecor).

BF637.S8C32 2005 158.1 C2005-940560-0

LES ÉDITIONS QUEBECOR
Une division de Éditions Quebecor Média inc.
7, chemin Bates
Outremont (Québec)
H2V 4V7
Tél.: (514) 270-1746
www.quebecoreditions.com

Éditeur: Jacques Simard
Conception de la couverture: Bernard Langlois
Illustration de la couverture: Philip Bliss/Images.com/Corbis
Révision: Nicole Demers
Infographie: Andréa Joseph [PageXpress]

Nous reconnaissons l'aide financière du gouvernement du Canada par l'entremise du Programme d'Aide au Développement de l'Industrie de l'Édition pour nos activités d'édition.

Gouvernement du Québec – Programme de crédit d'impôt pour l'édition de livres – Gestion SODEC.

Imprimé au Canada

Soulevez des montagnes

GUY CABANA

Remerciements

Lorsque j'ai commencé à songer à l'écriture de ce livre, je me suis demandé de quelle façon je pourrais amener les gens à croire en eux et surtout à agir sans peur et sans appréhension.

Après avoir lu une montagne de livres, participé à plusieurs discussions, écouté des motivateurs de grande renommée et réfléchi à tous les gens qui m'ont inspiré personnellement par leurs actions, leur dévouement, leurs attitudes, leur courage, leur persévérance, leur écoute et leur sagesse, c'est maintenant à mon tour de vous apporter mon bouquet de recettes de succès.

Merci à tous les créateurs et artistes quels qu'ils soient pour leur audace, leur courage et leur persévérance à nous transmette leurs idées de façon concrète. Merci également à toutes ces personnes qui ont soulevé les montagnes bien avant moi, qui nous ont montré le chemin et nous ont débarrassés de nos propres limites imaginaires concernant l'inaccessible. Merci aux gens qui ont mis la barre toujours plus haut et plus loin pour nous convaincre que le mot *possible* apparaît toujours devant notre propre capacité à réussir. Merci aux personnes qui tombent mais qui se relèvent aussitôt pour nous montrer que, même si nous sommes humains, nous avons une capacité illimitée de parvenir à nos fins.

Un merci très spécial aux personnes qui ont cru en moi, en commençant par mon éditeur, monsieur Jacques Simard. Je vous serai toujours reconnaissant pour votre disponibilité et vos précieux conseils. Merci à monsieur Roger Monette junior pour qui mon admiration grandit sans cesse. Merci à Nicole Bronsard ainsi qu'à monsieur Michel Bélanger qui, par leurs interventions lors de conférences ou de séances de formation, me donnent des occasions de me dépasser. Je vous témoigne respectueusement mon enthousiasme et toute ma gratitude. Merci à madame Sylvie Desrochers pour le temps précieux qu'elle met à faire le décryptage de mes textes. Un merci spécial à Carmen Desmeules pour sa plume magique, son énorme talent et son professionnalisme.

Cependant, plus que tout je remercie du plus profond de mon âme, encore et toujours, mes trois enfants, Steve, Karine et Jean-Michel, et mes quatre petits-fils, Jacob, Izaak, Thomas et Emrick. Non seulement croyez-vous en moi mais aussi, et c'est le plus important à mes yeux, ai-je le plaisir de vous voir grandir et vous remplissez ma vie d'homme et de père d'une façon extraordinaire. Je me sens des plus choyés de pouvoir contempler le succès que vous obtenez à la suite de vos propres choix et de vos propres actions.

Je ne peux garder sous silence mon exaltation devant Louise, mon épouse, avec qui je partage tous les mots de ce livre. Sans ses réflexions, ses inspirations, son enthousiasme, sa patience, son écoute, ses corrections, ses encouragements et son précieux jugement, ce livre serait toujours sur mon écran et non pas entre vos mains. Louise, tu es un modèle parfait d'humilité et de générosité. Grâce à ton soutien et à ton amour, je peux soulever des montagnes !

2

La perception de la réussite

La seule chose qu'on est sûr de ne pas réussir est celle qu'on ne tente pas.

PAUL-ÉMILE VICTOR

Bien des personnes ont de la difficulté à soulever des montagnes parce qu'elles ressemblent à des zombies marchant sans direction, sans fil d'arrivée, sans vision; évidemment, elles n'obtiennent aucun résultat. Dans la quête de réussite, avez-vous remarqué qu'il est souvent facile d'obtenir les choses qu'on ne veut pas et très difficile d'obtenir celles qu'on désire vraiment.

Chacun de nous aura toujours sa propre perception et sa propre définition du mot « réussite ». Malgré tout, une constante demeure : la réussite signifie couronnement, prospérité, liberté, bien-être ou abondance, autonomie, satisfaction, absence d'inquiétude, de peur, de déception ou d'échec. Réussir est une activité qui engendre le plaisir, la joie de vivre, le bonheur et l'autonomie. Il est aussi difficile d'atteindre son plein potentiel et de réussir sa vie que de conduire une Formule 1 à haute vitesse dans la brume. Il s'agit là d'une tâche et d'une responsabilité impliquant que la personne fasse preuve d'audace, qu'elle soit disposée à prendre des risques et à tenter de changer sa vision actuelle des choses. À l'instar des champions, vous devez croire que vous méritez le succès et la richesse, et ce, avant même de l'obtenir.

L'action est le tremplin indispensable qui vous propulse vers la réussite. L'être humain est fait pour concevoir, réaliser, exécuter et accomplir des choses. C'est pour cette raison que vous êtes en ce monde. Regardez l'enfant qui désire faire ses premiers pas. Il doit d'abord mettre de l'énergie et des efforts incalculables uniquement pour se tourner sur le ventre. Ensuite, il doit apprendre à se soulever avec ses bras tout en mettant ses jambes en position de crapaud. Arrêtez-vous une seconde et pensez aux activités physiques, aux informations, aux gestes et aux actions que ce bébé explore avant de connaître le succès. Devant chaque effort, on l'applaudit et on l'encourage à poursuivre sa mission : « C'est beau ! T'es capable ! Bravo ! »

Ensuite, l'enfant s'agrippe à une chaise ou à votre jambe pour pouvoir se lever. Sans aucune hésitation ni la moindre peur de l'échec, il mise sur ses capacités physiques pour se tenir debout avant de faire un seul petit pas. Malgré qu'il tombe et retombe encore et encore, l'enfant n'a qu'un seul désir : se tenir débout pour se diriger à un endroit qu'il n'a pas encore exploré. Tout ce que ce petit être désire, c'est faire quelque chose qu'il n'a pas encore expérimenté.

La beauté des enfants, c'est qu'ils réussissent toujours à s'améliorer. Le fait de ne pas croire qu'ils ne peuvent le faire est la principale source de leurs réussites. Ils n'ont aucun obstacle ni aucun doute devant leurs capacités à réussir. Ils embrassent le succès à chaque occasion. Les échecs n'ont aucune prise sur leur volonté d'explorer et d'accomplir une activité. Ces trésors de la vie sont immunisés contre les insuccès.

S'il y a une vérité dans ce livre, c'est qu'aucune personne n'est née pour réussir des échecs ou vivre des déboires. Je vous invite à relire à haute voix cette phrase, car elle représente une des forces capitales qui vous aideront à croire que vous pouvez soulever des montagnes. *Personne n'est né pour réussir des échecs ou vivre des déboires*. Vous n'êtes pas une ordure de l'humanité privée de rêves. Vous n'êtes pas un incompétent. Vous êtes né avec un potentiel illimité qui vous fera découvrir la réussite et connaître le succès.

À partir d'aujourd'hui, je vous demande de prendre une résolution. Évitez de contourner les obstacles, de faire un détour ou de regarder la montagne comme une malédiction ou une catastrophe sur votre chemin. Abordez plutôt les épreuves négatives comme une occasion de la vie vous sollicitant de réfléchir et d'agir différemment. Le principe est simple : si vous n'aimez pas les réactions que vous avez ou les résultats que vous obtenez, cessez de vous obstiner et changez vos habitudes ainsi que vos comportements. Espérer obtenir des réactions différentes avec les mêmes actions peut démontrer un certain signe d'obsession ou un manque de créativité. C'est comme la personne qui ne met jamais son bateau à l'eau, mais qui est absolument convaincue qu'un jour elle va naviguer et voir du pays. Cela n'arrivera pas ! Dans les prochains chapitres du présent ouvrage, nous allons analyser ce type d'énoncé et les efforts de créativité qui le sous-tendent.

La puissance de votre foi en vos habiletés est un outil inestimable qui vous aidera à soulever des montagnes. Celui qui croit sincèrement pouvoir réussir trouve toujours une façon d'y parvenir. La force de croire est votre inépuisable liberté de réaliser les rêves auxquels vous aspirez. Croire en soi n'est ni douloureux ni égocentrique ; ce n'est ni une maladie incurable ni une forme d'illumination ou d'ésotérisme. Votre foi en vous-même est votre antidote aux échecs : elle fait disparaître les doutes et éloigne les peurs.

Croire en soi-même est une affirmation que vous existez et que vous avez des convictions. Cependant, plus que tout, croire en soi démontre une acceptation et un respect ultime de soi. Prenez conscience que vous méritez d'être une personne qui découvre, réalise, affirme et protège sa propre identité. Si croire en soi est le moteur de la réussite, croire en ses actions et en ses réalisations est le mazout qui alimente votre démarche de réussite. Les aspirations sont comme des flèches qui indiquent le chemin que vous devez prendre. Cependant, rappelez-vous que la flèche n'a rien à voir avec vos rêves ; elle montre uniquement votre direction. Vos actions et efforts déterminent la direction que vous devez suivre pour atteindre vos buts. Regardez votre foi comme une aiguille de votre boussole intérieure. Elle vous donne la direction exacte à suivre et vous donne l'heure juste sur votre état actuel. Votre foi vous procure la sécurité et vous berce dans la sérénité.

Vous devez croire en vous-même si vous voulez vaincre vos appréhensions, vos craintes, et faire fuir le doute. Sans cette foi, votre incertitude vous suivra toute votre vie comme votre ombre. Le doute prend la forme d'une malédiction qui ouvre la porte aux échecs et vous couvre de son apitoiement. Qui plus est, il peut devenir une arme extrêmement puissante et destructive pour la pensée. Il démolit les rêves, paralyse les actions et tue les motivations. L'unique différence entre la foi et l'incrédulité est que la première vous permet d'agir en toute liberté de choix, alors que la seconde refrène silencieusement vos attitudes et vos comportements. Votre foi en vous-même garantit une saine gestion de vos projets et la progression sur le chemin de votre réussite.

L'indécision ouvre une brèche dans l'estime de soi et conduit au découragement à l'égard des rêves et des passions. Le doute est un sentiment qui ralentit considérablement la croissance personnelle. Il permet de justifier l'incapacité à accomplir la tâche de soulever des montagnes. L'ambiguïté ouvre la porte à la peur, invite les échecs et immobilise la volonté d'agir. Une fois de plus, je vous lance un appel : évitez à tout prix cette forme d'automutilation de la pensée et rabattez-vous simplement sur la source de votre force intérieure.

3

Penser comme un gagnant

Un gagnant est une personne qui a identifié ses talents, a travaillé avec acharnement pour les développer, et a utilisé lesdites capacités afin d'accomplir ses objectifs.

LARRY BIRD

Toutes vos pensées sont comme des timbres qu'on colle à une enveloppe. Elles ne lâcheront pas tant et aussi longtemps que la missive n'aura pas atteint sa destination. Chaque jour, vous avez beaucoup d'idées qui traînent au fond de votre mémoire. Une partie de votre cerveau contient de multiples tiroirs qui renferment vos rêves, vos aspirations, vos passions, vos habiletés à construire et votre perception de la réalité. C'est un peu comme une commode qui vous offre plusieurs tiroirs remplis de possibilités et d'occasions à saisir. Une autre partie de votre cerveau, du côté obscur, présente une commode aux tiroirs pleins d'excuses, de mensonges, de justifications, de plaintes et de peurs. Ces deux commodes se retrouvent facilement dans l'esprit de tout être humain. Les plus sages d'entre nous n'ouvrent que les tiroirs d'affirmations positives, de démarches constructives et de possibilités d'être meilleurs. Les personnes qui soulèvent les montagnes ferment à clé les tiroirs qui ne leur permettent pas d'avancer et d'être à la hauteur de la situation ou qui anéantissent leurs désirs.

L'histoire suivante, celle de monsieur David J. Schwartz, fait ressortir cette idée de la grandeur de l'esprit. Lors d'un congrès, ce vice-président des ventes d'une grande entreprise a souligné l'extraordinaire démarche du représentant le plus productif de la firme.

Le vice-président a insisté sur l'efficacité, la détermination et la grande productivité de son employé. Il a raconté que le vendeur avait encaissé des commissions annuelles cinq fois supérieures à la moyenne des autres représentants. Après avoir fait l'éloge bien mérité de son employé, le dirigeant s'est adressé aux participants.

> Je vous demande de bien regarder notre champion. Dites-moi ce qu'il pourrait bien avoir que vous n'avez pas ! Il réussit à décrocher un salaire cinq fois supérieur au vôtre. Est-il cinq fois plus intelligent que vous ? Après vérification de vos dossiers et *curriculum vitæ*, je peux vous dire que ce n'est pas le cas. Je vous assure que vous êtes tous sur le même pied. Ce monsieur travaille-t-il cinq fois plus fort que vous ? En consultant les feuilles de temps, je constate que non. Je constate même qu'il réserve beaucoup plus de temps que la plupart d'entre vous pour sa famille et ses loisirs.
>
> Dispose-t-il d'un meilleur territoire que vous ? Malheureusement, la réponse est encore une fois négative !

Ses clients relèvent-ils d'un compte majeur ou supérieur au vôtre ? A-t-il reçu une meilleure formation académique que vous ? Est-il en meilleure santé ? Possède-t-il une plus belle voiture que vous ?

Pourquoi existe-t-il une si grande différence entre lui et vous ? J'ai discuté avec ce jeune homme, j'ai observé attentivement ses résultats et ses comportements et je crois avoir trouvé la réponse. Il a tout simplement des idées cinq fois plus grandes que les vôtres.

L'histoire de ce représentant doué explique que le succès ne dépend pas uniquement du degré d'intelligence ou de pieuses intentions, mais aussi de la grandeur des idées et de la conviction d'agir.

Ce principe, accessible à tous, est quantifiable et vérifiable. Il se mesure par le degré de satisfaction personnelle atteint par une personne. Remarquez le bonheur que dégagent les gens qui ont du succès, la confiance qu'ils inspirent et l'influence qu'ils ont auprès de leurs semblables. Ces gens sont à la mesure de l'ampleur de leurs idées. La magie qui entoure les idées de grandeur augmente la capacité à atteindre les buts. Osez agir !

Cette histoire ne peut qu'influencer nos idées ou nos attentes relativement aux démarches que nous ferons dans l'avenir. Pour moi, ce phénomène ne souffre aucune exception. Plusieurs personnes de mon entourage réservent leurs témoignages d'admiration aux personnes qui jouissent d'un grand prestige. Cependant, l'important, c'est ce que nous pouvons devenir, et non ce que nous avons été. Les éloges et les compliments s'adressent souvent aux personnes qui ont accompli des performances spectaculaires ou atteint des résultats extraordinaires.

Devant ce genre d'attitude complaisante, je m'efforçais d'être en avant de la parade; je voulais être le meilleur uniquement pour plaire aux autres. Mes défis personnels correspondaient aux attentes et aux exigences des autres plutôt qu'à mes choix personnels.

Avec le temps, cette attitude malsaine et mes propres comportements me rendaient malheureux; ils m'emprisonnaient dans un personnage que je ne reconnaissais pas. J'étais continuellement en compétition et en conflit avec moi-même. Cette forme inconsciente de manipulation faisait de moi une marionnette dont la mission était de plaire aux gens sans jamais se soucier de son propre bien-être.

Le temps faisant son œuvre, j'étais entré dans la course dangereuse des comparaisons; dans cette compétition de tous les jours, je me débattais constamment pour être « le meilleur » et non « meilleur ». Pourtant, je voulais reprendre le contrôle de ma propre destinée, suivre le parcours dicté par mes propres aspirations et talents. J'avais le désir d'être heureux et de retrouver la passion de réussir ma vie et non de réussir dans la vie. Humblement, ce dernier choix a été la source de ma libération. Cependant, c'est un exercice qui exige courage et lucidité. D'entrée de jeu, j'ai pris une décision temporaire : celle d'être spectateur et de regarder la parade défiler devant mes yeux. Oui, il y a des personnes qui désirent être en avant de la parade, d'autres dans la parade et d'autres encore être simplement des spectateurs.

Il n'est pas rare de rencontrer des gens qui attribuent une importance primordiale au fait d'être le meneur de la parade. Ces gens croient que tous les autres les suivent. Malheureusement, leur nez est tellement pointé vers le ciel qu'ils ne se rendent pas compte que personne ne les suit. Il y a aussi les gens qui sont dans la parade et qui marchent au rythme du commandant en chef. Ces personnes se laissent guider par ceux qui leur tracent le chemin. Finalement, il y a tous les autres qui sont les spectateurs. Je me permets ici une petite constatation : vous vous rendez bien compte que, sans spectateurs, il n'y aurait aucune raison de faire une parade !

Aujourd'hui, j'ai appris que lorsqu'une parade ne me convient plus, je me déplace tout bonnement et je prends la responsabilité d'en trouver une autre dont les mélodies, les couleurs et les talents me plaisent davantage. Parfois, cette parade se trouve loin de ma vision ou se déroule de l'autre côté de la montagne. Ne perdez plus votre temps inutilement. Le moment est venu de soulever les montagnes qui vous empêchent de faire votre propre parade et de réussir votre vie.

Vous savez que vous avez un rôle important à jouer dans chacune de vos réussites. C'est à vous de définir vos intentions et le rôle que vous voulez jouer dans la réussite de votre vie. La vie vous offre beaucoup d'événements et d'occasions pour faire votre parade. Vous devez prendre la décision d'y participer ou pas. Trop souvent vous faites partie d'une parade au mauvais moment, au mauvais endroit ou avec les mauvaises personnes. Allez ! Que votre parade commence !

4

Vouloir agir

Il ne suffit pas d'avoir de bonnes idées, il faut agir. Si vous avez besoin de lait, ne vous installez pas sur un tabouret au milieu d'un champ dans l'espoir qu'une vache y passe.

CURTIS GRANT

Vos désirs et vos intentions donnent naissance à tous vos objectifs dans la vie. C'est le point de départ de toutes vos actions. Vouloir, agir ou réagir devant un événement de votre vie se manifeste toujours dans vos actions, lesquelles produiront un certain aboutissement. À ce stade, l'ampleur du résultat n'a pas une grande importance. Ce qui compte, c'est de réaliser son rêve et de faire les efforts nécessaires pour satisfaire sa soif d'accomplissement. Le couronnement de ce travail se mesure plus tard. Ainsi, très jeune, l'athlète amateur rêve d'une médaille olympique mais, avant de s'imaginer avec la médaille, il doit être choisi pour représenter son pays.

Au moment d'entreprendre une action, l'important n'est pas votre degré d'intelligence, vos propos, votre compte bancaire ni la somme de vos aptitudes, mais plutôt votre démarche et la façon dont vous allez agir. Sachez que votre foi et vos attitudes gouvernent votre intelligence. Votre grande capacité à agir dans une situation vous assure au moins d'une chose, vous allez avoir un résultat. Tout devient possible quand vous savez exactement ce que vous voulez. Le fait de définir son objectif et de trouver la façon d'y parvenir augmente la volonté et la détermination à aller jusqu'au bout des rêves. Cette marque de sagesse et de vision va faire de vous un gagnant chaque fois.

Sur le bord d'une rive, deux hommes pêchaient lorsque, soudain, ils ont entendu un bruit venant de leur embarcation. Leur réserve de nourriture venait de tomber à l'eau. Les deux hommes sont aussitôt partis à la nage et chacun est revenu avec des provisions dans les bras. Au bout de quelques instants, l'un d'eux est retourné à la pêche et l'autre lui a demandé : « Explique-moi pourquoi je suis si fatigué et stressé alors que, toi, tu es si calme et décontracté ? » L'autre lui a tout simplement répondu : « Parce que, moi, j'ai déposé mes sacs par terre et que, toi, tu as encore les tiens dans les bras. Il est temps de les déposer par terre et de retourner à la pêche. » Connaissez-vous de ces gens qui traînent des sacs, des troubles, des personnes ou leur passé dans leurs bras par peur de les perdre ? Actuellement, combien de « sacs » gardez-vous dans vos bras ?

Pour soulever des montagnes, vous devez accepter l'idée que les échecs sont parfois inévitables dans la vie. Ils font partie intégrante de vos efforts, de vos choix et des événements incontrôlables. Malgré cet état de fait bien réel, vous ne devez jamais voir vos échecs comme le reflet d'un manque d'habiletés à réussir ou d'une absence de talents. Vos habiletés vous sont nécessaires pour accomplir les choses. Elles trouvent de la force et de la vigueur dans les connaissances que vous allez chercher. Le fait que vous puissiez obtenir des connaissances alimente votre dextérité ; seule votre attitude détermine la puissance de ces dernières et l'ampleur de votre réussite. L'attitude que vous avez envers vous-même vous dicte ce que vous allez accomplir.

C'est reconnu qu'une personne qui détient un quotient intellectuel normal et qui a confiance en elle-même va s'affirmer par son dynamisme et sa volonté. Cette personne aura plus de succès qu'une autre douée d'un Q.I. de 125, mais qui a une attitude pessimiste et relâchée. Vous devez vous souvenir que vos convictions n'ont aucune influence sur vos habiletés ; c'est plutôt votre attitude envers vos habiletés qui augmente votre puissance d'agir. Votre devoir envers vous-même, voire votre plus grande obligation, est de toujours tirer le meilleur de vos habiletés.

Prenons cette étude sur deux frères nés d'un père alcoolique et d'une mère manipulatrice, donc issus d'une famille dysfonctionnelle. Vingt-cinq ans plus tard, on retrouve les deux frères pour connaître leur état actuel. L'un est alcoolique et sans travail, alors que l'autre est directeur d'une grande firme d'assurances. Le recherchiste questionne le premier en ces termes : « Comment se fait-il que tu sois devenu ce que tu es et que tu sois habité par tant de fantômes ? » Et l'homme de répondre : « Vous n'avez qu'à regarder mon passé. Mon père était un alcoolique et, dans le contexte bizarre où ma mère nous a élevés, c'est tout à fait normal que je sois comme ça aujourd'hui. » Ensuite, le recherchiste s'adresse à l'autre frère : « Et toi, comment se fait-il que tu as bien réussi dans la vie ? » Ce dernier lui répond : « Vous n'avez qu'à regarder mon passé. Mon père était un alcoolique et, dans le contexte bizarre où ma mère nous a élevés, c'est tout à fait normal que je sois comme ça aujourd'hui. » Tout est une question de perception et d'attitude. Il n'est jamais trop tard pour réaliser que personne d'autre que vous ne pourra soulever vos montagnes. C'est votre attitude et la façon dont vous allez percevoir vos propres obstacles qui dicteront votre façon d'agir et les résultats qui en découleront. Après tout, c'est *votre* vie.

Prendre la décision d'agir relève de l'énergie et non d'une science. C'est être déterminé à faire progresser, à renouveler, à améliorer ou à changer une activité. Une vie sans la réalisation de nos rêves est comme un chèque de 1 000 000 $ qui n'est jamais encaissé. Cela demeure un objet sans attrait, sans admiration et dépourvu de toute signification.

Une petite histoire, tiens ! Par une belle journée d'octobre, un petit oiseau a décidé de ne pas suivre ses camarades vers le sud. Il n'avait pas à cœur de faire tous ces efforts pour profiter de quelques mois de chaleur. Quoiqu'il ait décidé de ne pas se conformer à la tradition des oiseaux, le temps devenait de plus en plus froid et les nuits de plus en plus longues. Après avoir hésité quelque peu, l'oisillon s'est résigné à rejoindre ses amis, qui étaient sûrement rendus près de leur destination. Peu de temps après son départ, de la glace s'est formée sur ses ailes et il est tombé presque mort de froid, près d'une étable. Une vache s'est tranquillement approchée du petit oiseau et a déposé sur lui un tas de fumier.

L'oiseau a cru que cette situation embarrassante était assurément la fin de sa vie. Malgré la senteur et la texture de la matière, il a senti de la chaleur et ses ailes ont commencé à dégeler. Il était au chaud et capable de respirer, mais l'odeur lui était très inconfortable. Le petit oiseau était coincé et malheureux. Alors, il s'est mis à gazouiller son mécontentement le plus fort possible. Au même moment, un gros chat s'est approché, attiré par le bruissement. Il a rapidement sorti l'oiseau de sa fâcheuse position et l'a mangé.

La morale de cette histoire, c'est que les personnes que vous soupçonnez de vous mettre dans le fumier ne sont pas nécessairement vos ennemis et que tous les gens qui vous sortent du fumier ne sont pas nécessairement vos meilleurs amis. Or, si par hasard vous êtes au chaud et en sécurité dans du fumier, taisez-vous !

Comme l'oiseau, plusieurs personnes sont entêtées et ne désirent pas se conformer à une bonne décision par simple paresse ou par manque de rigueur. Dans la vie, lorsque les gens s'éloignent de leurs objectifs ou de leurs intentions, ils se retrouvent couverts de fumier. Ensuite, ils condamnent leurs amis, comme l'oiseau l'a fait avec la vache, pour les choix qu'ils ont eux-mêmes faits et blâment leurs semblables de ne pas les aider à sortir du fumier.

Au lieu de s'ajuster à la nouvelle réalité et de reconnaître les conséquences de leurs choix, ces personnes, tout comme l'oiseau, décident de s'en sortir en criant leur mécontentement et en hurlant à l'injustice. Pour survivre, elles fabriquent leurs propres histoires d'horreur et de malchance. Il en résulte que leurs choix ne sont que les intermédiaires entre la réalité et leur manque d'affirmation. Un tel comportement est un désastre et une perte de temps énorme pour ces individus.

Combien de personnes ne soulèvent jamais de montagnes uniquement par paresse, par manque de détermination et de vision ? Combien de personnes regardent les faits et gestes des gens de leur entourage sans jamais discerner leurs propres attitudes et conduites ? Combien de gens ne recourent pas à leur puissance intérieure pour accomplir quelque chose ? Combien de gens exigent votre soutien, votre aide ou votre contribution pour les sortir d'une position embarrassante sans jamais s'investir eux-mêmes dans le processus d'action ? Combien de personnes évitent de s'engager ou même de contribuer à se sortir d'une impasse ? Je vous accorde une vérité : certaines circonstances de la vie peuvent effectivement ressembler à un tas de merde. Cela veut-il dire qu'on doive rester là à ne rien faire ?

La réponse est non. Ces occasions sont des invitations directes à faire appel à ses choix et à son courage pour remédier à la situation. Dans la vie, il existe des moments pour observer, créer, structurer, et un temps pour agir. Savez-vous que plusieurs personnes n'osent pas défaire un tas de fumier par peur de ne plus pouvoir le reconstituer. Allez ! Prenez la résolution de soulever les « petits tas de fumier » qui risquent de se trouver sur votre chemin. Retrouvez l'horizon, repérez d'autres défis et ne sous-estimez jamais votre puissance.

5

Votre mission

Être élu, c'est un mandat, pas un métier.

ARNAUD MONTEBOURG

Platon a dit que le premier pas est le plus important. Avoir accès à ses intentions et à ses aspirations ne confirme aucunement une réalisation ou le succès. Votre désir et votre volonté d'agir vous ouvrent seulement une première porte sur l'aventure. Cette porte confirme cette destination ultime que nous appelons *mission.* Avant d'agir aveuglément, il vous faut définir précisément ce mandat et le chemin que vous devrez parcourir. Cette étape est capitale et demande du discernement et le respect de soi-même.

Cibler un objectif ultime stimule les intentions d'agir et déclenche l'énergie de donner le meilleur de soi-même. Ce processus d'engagement personnel définit clairement votre détermination à réussir. Vos actions confirment la profondeur de vos désirs. À cette étape, je vous suggère d'éviter de mordre aux appâts qui vous entourent, par exemple les comparaisons avec les autres, la jalousie, l'envie et l'orgueil. Ces motifs et ces raisonnements peuvent ralentir vos efforts de longue haleine comme des ancrages à un bateau. Sinon, vous n'allez que suivre le courant de l'eau dans un espace limité sans jamais avancer au-delà de vos aspirations. Vous devez choisir votre propre voie pour obtenir une satisfaction intérieure et non un futile sentiment d'épatement ou de vengeance extérieure. Évitez à tout prix d'être comme les autres, car vous n'êtes pas eux. Au contraire, utilisez vos attitudes et vos efforts comme un rayon laser pour atteindre votre objectif ultime.

Votre désir de vouloir accomplir un rêve augmente votre degré d'intérêt, d'enthousiasme et d'effort. Au terme d'une saine planification et d'une analyse sérieuse, vos actions vous donnent accès au firmament de la réussite. Remarquez les personnes qui n'arrivent jamais à faire quoi que ce soit, ces personnes qui tournent toujours en rond, qui n'arrivent nulle part. Ces *martyrs* transportent avec eux un catalogue d'excuses et de justifications leur servant de guide pour vous expliquer pourquoi leur vie ne fonctionne pas. Ces personnes verbalisent très bien toutes les raisons pour lesquelles elles n'ont pas réussi. Elles défilent toutes sortes de « vœux pieux » et de bonnes intentions comme autant de désirs inassouvis. Elles expriment pourquoi elles sont incapables d'obtenir une certaine forme de reconnaissance. Elles ont toujours le sentiment d'être exploitées comme des esclaves. La dernière chose qui préoccupe ces personnes, c'est la réussite des autres. Elles sont convaincues que leur malchance est éternelle. Pour elles, chaque personne qui réussit est simplement née sous une bonne étoile !

Le constat le plus subtil est que ces personnes vont chercher non seulement à vous convaincre, mais aussi à se convaincre elles-mêmes. Elles cultivent leurs propres mensonges et, à force de dire qu'elles sont incapables, elles finissent par y croire. Cette manigance d'attentions devient leur réalité. J'ai déjà pris connaissance d'une étude démontrant que la majorité de ces personnes se rendent elles-mêmes inaptes au succès. Observez que seuls les gens qui agissent font que les choses arrivent. Ces gagnants sont nos artisans du succès. Par leur propre grâce, ils soulèvent les montagnes pour s'assurer une meilleure vision du chemin qu'il reste à parcourir. Parfois, avoir de la volonté n'est pas suffisant; il faut aussi savoir agir.

Se fixer un mandat demande un temps de réflexion et de la clairvoyance pour envisager le résultat final. Si vous n'avez pas une vision claire et précise de vos aspirations ainsi que des connaissances et des efforts que vous devrez déployer, il est fort probable que vous n'irez pas jusqu'au bout de vos rêves. C'est là une des principales raisons pour lesquelles les gens abandonnent leurs désirs en cours de route. Une mission sans plan ou sans esquisses précises est beaucoup trop audacieuse.

Les *combatifs absurdes* foncent tête première comme des taureaux, dans toutes les directions, et se bercent d'illusions. Ils se laissent guider par leurs impulsions et leur hâte d'obtenir un résultat au lieu d'enclencher un processus qui va les conduire au succès. Éventuellement, ce type de personne va déplacer beaucoup d'obstacles sur son chemin et aboutir quelque part, sans toutefois avoir prévu ni les impacts ni les conséquences.

Lorsque le combattant absurde s'arrête, il est surpris du résultat et découragé de voir que tout ce qu'il a accompli était complètement insignifiant. C'était comme essayer de puiser de l'eau dans un puits sans fond. Ce type de combattant voit la vie comme une bataille à finir ou une course contre la montre pour obtenir une certaine forme d'aboutissement. Évitez d'être une personne qui considère la vie comme une bataille, mais voyez-la plutôt comme une série de défis à relever. Révisez vos attitudes et mesurez vos motivations d'accomplissement. C'est comme le bûcheron qui coupait des arbres depuis deux semaines et qui a fini par s'apercevoir qu'il était dans la mauvaise forêt; il a dû recommencer. Vous devez savoir que celui qui gagne la bataille ne gagne pas nécessairement la guerre. Soyez toujours lucide et très attentif!

L'image que projettent ces faux gagnants témoigne de leur caractère néfaste et parfois dangereux. Ces personnes sont rarement des sources d'inspiration pour les autres, car elles fournissent continuellement des prétextes pour poursuivre leur route ou des raisons pour s'arrêter. Avec le temps, ces combattants deviennent comme des aveugles dans le désert, sans aucun point de repère. Évidemment, ils vont éventuellement abandonner, déprimer ou se décourager. C'est le genre d'individus qui, sortant d'un garage avec un véhicule neuf, sont tout fiers, heureux, et se pètent les bretelles devant leur réussite. Or, lorsqu'ils s'aperçoivent que le véhicule neuf du voisin est plus prestigieux ou plus dispendieux que le leur, ils se sentent complètement démolis et s'effondrent. Malgré tous ces efforts non canalisés, mais qui s'avèrent inutiles, ils seront capables de parvenir à leurs fins, soit vous décourager par peur d'admettre leur propre incapacité à surmonter l'orgueil, la jalousie et l'envie dont ils sont victimes par leur propre faute. Leur attitude de combattants absurdes est la cause même de leurs échecs.

Il est tout à fait normal qu'un charpentier ne construise pas une toiture avant d'avoir fixé une bonne fondation et érigé les murs. Cependant, avant même de construire une fondation, il faut savoir choisir un terrain, sa largeur, sa profondeur et son accessibilité selon des exigences et des critères précis. Pour réussir votre mandat, cette étape doit toujours être exécutée en conformité avec votre vision ultime et en harmonie avec vos désirs d'aller jusqu'au bout. Il ne s'agit pas ici d'être téméraires, mais bien de vous adapter, de vous ajuster, de modifier ou de changer vos plans pour arriver à un résultat satisfaisant.

Réussir exige une certaine dose d'ouverture d'esprit, de conscience et de créativité. Ces talents sont les préalables au succès et à l'épanouissement personnel. Vous ne devez pas changer pour le plaisir de le faire. Cela ne vous mènerait à rien d'adopter d'autres attitudes ou de déployer d'autres efforts si vous ne modifiez pas le parcours qui vous amènera à votre destination ultime.

Vous devez sûrement connaître les fabricants de rêves qui sont des vedettes ou, si vous voulez, **les protagonistes**. Les personnes de ce genre font absolument tout pour être reconnues, pour plaire et attirer les louanges. Pour les protagonistes, la réussite se mesure uniquement par la quantité de compliments, le nombre d'activités sociales et professionnelles ainsi que la quantité d'éloges reçus ou le total de concours gagnés. Ces personnes se sentent importantes et indispensables. Leur but dans la vie est d'être disponibles pour s'acquitter d'une tâche dans le seul but d'être reconnues. Le protagoniste existe pour satisfaire les attentes de son entourage pour autant qu'il trouve une certaine forme de glorification. Il compte beaucoup de faux amis… autant compter des conserves sur une tablette de magasin. Cette personne vous donne l'illusion d'être compétente mais, en réalité, elle ne fait qu'accompagner un rêve.

Les ressources des protagonistes sont exclusivement alimentées par la reconnaissance extérieure, et non par la paix et l'harmonie intérieures. Leur plus grand vice est leur incapacité à dire non. Ils ont tellement peur de déplaire et d'offusquer les gens qu'ils immobilisent leur réelle motivation à réussir leur vie. Malgré le fait qu'ils soient égoïstes, ils se croient généreux et disponibles. Rarement, ces personnes confirmeront leurs propres aspirations. À cause de leur grand besoin d'être entourées, elles maudissent la solitude et l'isolement. Lorsqu'elles se retrouvent seules, elles sont devant le néant. Leur vie devient sombre et sans intérêt. Ces gens sont des imposteurs et peuvent rapidement vous décevoir.

Dès le départ, évitez toujours la facilité et n'assumez pas que le succès est assuré. Cette pensée va anéantir votre ténacité, votre dynamisme et vos efforts. Vous devez toujours commencer par le début, soit une direction précise à suivre qui vous amènera à réaliser vos aspirations. Sachez repérer votre parcours et anticiper les obstacles. Ce processus est fondamental pour réussir votre mandat. Lorsque vous savez où se trouve le centre de votre cible, il est plus facile de modifier vos comportements afin de corriger votre alignement. Soyez conscient que chaque ajustement est un signe de grandeur et d'humilité qui vous aidera à concrétiser tous vos rêves avec passion.

Réussir ne dépend pas de l'encouragement des autres, mais se mesure par les efforts que vous allez déployer et les engagements que vous allez prendre pour réussir. Les vrais vainqueurs sont des personnes remarquables qui, sans relâche, cherchent à dépasser leurs limites. Faire face aux épreuves et aux défis reflète la profondeur de votre courage et de votre persévérance. Sur le chemin de la réussite, les épreuves existent pour évaluer et prouver votre force de caractère et votre degré de conviction. Vous devez être intrépide, avoir le sens du risque mais, surtout, vous devez avoir les deux pieds bien ancrés dans la réalité. Un rêve sans actions est aussi inutile que d'appuyer sur l'accélérateur d'un véhicule immobile. Vous n'avancerez pas !

Être un gagnant signifie toujours garder en tête, de façon réaliste, son but ultime, autrement dit, sa **mission**. Sur la mer, à bord de son voilier, le navigateur pessimiste est convaincu qu'il va mourir parce qu'il n'y a plus de vent. Au contraire, l'éternel optimiste se dit toujours qu'un gros coup de vent ne tardera pas à se manifester et le remettra dans la course. Cependant, le réaliste garde toujours la main sur le gouvernail, prêt à ajuster ses voiles dès le premier signe de vent. Il protège toujours ses rêves par des gestes concrets, précis et palpables. Le réaliste ne se décourage jamais.

Pour réussir un voyage, un navigateur doit se doter d'un tableau de bord afin de toujours connaître sa position actuelle par rapport à sa destination. Il est toujours à l'affût des changements extérieurs et disponible pour modifier ses stratégies. Pour arriver au succès, vous devez assumer entièrement vos décisions face aux changements. Une fois votre décision prise, vous devez également mettre toute votre énergie et être prêt à aller jusqu'au bout du voyage. Le succès exige 5 % de vos habiletés mais 95 % de votre détermination. Soyez garant de vos résultats et responsable de vos décisions.

Un gagnant est très exigeant envers lui-même et ne se démoralise jamais. Il regarde les situations comme autant d'expériences et de possibilités d'apprentissage. Le gagnant est conscient de son potentiel et de ses talents. Pour lui, un résultat est comme une législation qui confirme le principe sur les causes et effets. S'il n'aime pas les effets, il va rapidement en modifier les causes. Autrement dit, ce n'est pas tellement ce que vous savez au début qui assure le succès; c'est davantage ce que vous avez appris et que vous mettez en action qui ouvrira les portes de la réussite.

La plus grande qualité du champion est de reconnaître qu'un résultat n'est qu'une affirmation, à un moment bien précis de ses actions. Le processus de réussite est en constante évolution. Il se transforme selon votre degré d'efforts et de compétence. Regardez le jeune karatéka. Dès qu'il passe un degré de ceinture, il est déjà devant une autre étape à franchir. Dès qu'on gagne une course, on commence une autre compétition le lendemain. Arriver à la prospérité est uniquement une confirmation de votre capacité à franchir une activité précise avec satisfaction et contentement.

Monsieur David Douillet, double champion olympique de judo, disait tout juste après la cérémonie des médailles : « Aujourd'hui, je passe des interviews, mais demain je dois mettre ma médaille de côté et recommencer l'entraînement. Lors de ma prochaine compétition, je serai tout à fait comme les autres. Je devrai encore me prouver que je suis le meilleur. » Chaque jour de votre vie vous donne une chance de vous surpasser et de vous améliorer. Sautez sur les occasions car, dans vingt-quatre heures, votre aujourd'hui deviendra votre demain. Vous devez agir maintenant.

Rappelez-vous régulièrement que vous êtes meilleur que vous le pensez. Ceux qui réussissent ne sont pas que des personnages fictifs ou mystiques. Votre succès n'exige pas une pensée magistrale ou une idée extraordinaire. Le pouvoir de matérialiser vos désirs ne repose pas sur une formule surnaturelle ou une fortune monétaire. Voyez loin ! Voyez grand ! Voyez l'impossible comme un exercice de votre foi en vous et en vos rêves.

Lorsque vous croyez sincèrement et profondément que vous pouvez accomplir l'inimaginable, vos actions se concrétisent et se mettent à l'œuvre pour vous indiquer le chemin. Acceptez les occasions comme autant de chances de vous affirmer. Un grand projet avec de grands efforts est souvent plus facile à réaliser que plusieurs petits projets insignifiants. Ne doutez plus jamais de votre potentiel d'agir. *De grâce, ne soyez plus jamais votre pire ennemi dans la conquête de vos propres réalisations*. Laissez donc cette tâche médiocre aux personnes qui n'ont rien d'autre à faire, à moins que vous ne croyiez toujours pas en votre capacité à soulever des montagnes !

Deuxième partie

6

Vivre ses rêves

Une perle est sans valeur dans sa coquille.

PROVERBE INDIEN

La vie consiste entre autres à réaliser nos rêves. Ce principe est le fondement même du genre humain. Chaque personne a été créée pour inscrire son histoire et réussir sa mission sur Terre. Chacun est né pour vivre dans le bonheur, la paix et l'abondance. Le succès ne se mesure pas qu'à la grandeur de votre maison, à l'importance de votre compte bancaire ou de votre statut social ; il se mesure à partir des obstacles que vous aurez réussi à surmonter pour concrétiser vos rêves.

Si votre vie actuelle ne vous convient pas, acceptez le fait que vous avez le pouvoir de la changer. La clé pour accéder à tous les trésors que l'existence vous offre vous est disponible en un tour de main. Croyez fermement que vous pouvez l'obtenir et vous l'aurez. Doutez, et vous la perdrez. Tous les cadeaux sont là pour vous ! Cependant, rien ne peut garantir que la voie sera facile, que les conditions seront parfaites et que le succès viendra sans effort. Tous les gagnants éprouvent un profond désir de réussir, trouvent les forces nécessaires à cette fin et acquièrent une vision claire de la façon dont ils vont y parvenir. Ils ont la certitude que les trésors sont là pour eux.

Les gagnants utilisent toutes leurs ressources intérieures pour atteindre la réussite. Le plus important, c'est qu'ils utilisent leur volonté pour réussir, et leur détermination pour atteindre le véritable objectif. Ces gens ont une attitude positive et ne craignent pas de changer constamment leur façon de penser. Ce type de raisonnement leur permet de modifier leurs actions et d'améliorer leur sort. Ils savent qu'une simple modification dans leur attitude et leur comportement peut changer leur destinée. Il faut simplement avoir de l'imagination, faire preuve d'initiative et oser prendre des risques pour parvenir à la réussite.

Sachez qu'une vision éclairée conjuguée à vos actions augmente votre capacité d'accomplissement. Vous devez mettre les efforts et l'énergie pour que vos rêves se transforment en réalités. C'est la seule manière d'obtenir un résultat. Ce processus de réalisation n'est ni magique, ni inaccessible, ni impossible ou infaisable. Il vous faut seulement une dose de conviction et un peu de foi en vous. Vous devez poursuivre tous vos projets avec courage et assurance. Les gens qui arrivent à leurs fins sautent sur chaque occasion et ils se donnent sans réserve. Un de leurs secrets est que les champions entreprennent chaque projet en ayant une vision du « déjà accompli » et de l'excellence. Aussi font-ils de leur mieux au foyer, en famille et au travail, et assument-ils toutes les implications et conséquences. Le gagnant ne confie jamais à un autre la responsabilité d'une tâche qu'il peut accomplir lui-même. Il accepte toujours l'entière responsabilité de ce qu'il contrôle et s'assure de tout faire pour réaliser son rêve. Somme toute, puisque l'on vit, aussi bien vivre une vie d'excellence et d'abondance. Faire de son mieux et donner son maximum ne requièrent pas plus d'efforts de votre part. De toute façon, puisque vous allez entreprendre quelque chose, ne vaut-il pas mieux vous donner à 100 % ? Si vous vous engagez sincèrement à réussir, vos chances seront de 100 % supérieures à la majorité des gens qui se contentent d'espérer réussir.

Ne soyez pas émerveillé devant les résultats des champions, car vous possédez aussi toutes ces mêmes habiletés extraordinaires pour atteindre votre but. Soyez conscient que vous avez les aptitudes et le potentiel d'un champion pour accéder au bien-être et savourer le triomphe.

Lors d'un des plus prestigieux tournois de golf, le British Open, monsieur Mike Weir, un golfeur canadien, a obtenu un pointage de 71. Ce pointage lui a juste permis d'éviter l'élimination et il a pu poursuivre le tournoi. Après la partie, il a signalé que d'aucune façon cette journée ne lui nuirait pour le match du lendemain car, à ce moment précis, il ne pouvait plus rien faire pour changer la situation. Cependant, le lendemain, il pourrait sûrement faire quelque chose de mieux et de différent. Effectivement, son changement d'attitude et sa nouvelle approche lui ont valu une ronde record de 66. Le journaliste lui a demandé d'expliquer cet exploit. Monsieur Weir lui a répondu : « Ce terrain est comme la vie. Rien n'est parfait et tous les obstacles sont toujours plus près du vert. J'ai simplement mieux anticipé les obstacles et j'ai été plus créatif devant les défis du terrain. J'ai mieux étudié les verts et j'étais convaincu que j'aurais le meilleur du terrain. J'ai décidé de jouer avec le terrain et ses obstacles plutôt que de m'évertuer à les éviter. »

Sans une confiance en soi et une profonde conviction de réussir, vos rêves ne se concrétiseront jamais. Parfois, vos efforts vous paraîtront aussi difficiles que de ramer dans un canoë sur un chemin de gravelle ; d'autres fois, ils vous sembleront aussi faciles que de cligner des yeux. Pour plusieurs personnes, les espoirs et les désirs s'évanouissent dès qu'apparaît le moindre obstacle.

C'est devant l'adversité que votre conviction devient un filet de sécurité motivant vos gestes et stimulant votre esprit. Votre détermination vous donne l'énergie et l'enthousiasme nécessaires pour changer votre avenir.

Le jour où vous vous sentirez seul, écrasé, découragé ou abattu, votre conviction demeurera votre meilleure alliée. Le temps sera de votre côté. Votre foi est un reflet de votre puissance intérieure. Vous allez devenir moins influençable face aux commentaires négatifs des autres et vous serez plus sûr de vous. À ce moment, vous devrez afficher votre conviction dans vos actes, vos paroles et vos gestes. Ce changement d'attitude est une grande victoire en soi. C'est l'oxygène nécessaire pour garder les rêves en vie. Prenez l'habitude de semer chaque jour et l'avenir vous offrira une récolte des plus abondantes.

Martin St-Louis, l'un des plus petits joueurs de la Ligue nationale de hockey, joue pour le Ligthning de Tampa Bay. Malgré sa petite stature de 1,70 mètre, il est devenu durant l'année 2003-2004 le meilleur marqueur de la ligue et a grandement aidé son équipe à gagner la coupe Stanley. Il s'agit là d'une performance incroyable pour un jeune qui n'était même pas supposé jouer dans une ligue de grands et costauds guerriers. À chaque partie, monsieur St-Louis démontrait de plus en plus de finesse, de rapidité et d'intensité. Ses adversaires ont commencé à vouloir frapper sur ce petit joueur pour le ralentir et le décourager. Malgré le fait qu'il se faisait violemment bousculer et frapper, il n'a jamais cessé de rebondir plus fort et de patiner plus vite. Le secret de sa réussite est simple, dit-il : « Je ne connais qu'une seule façon de jouer. Si on me frappe, je me relève le plus rapidement possible. Peu importe le nombre de fois que l'on tombe, l'important est de se relever le plus rapidement possible. Si je reste à la même place, je m'expose à être frappé à nouveau par le même joueur au même endroit. J'ai moi aussi appliqué de bonnes mises en échec mais, à un moment donné, je me suis aperçu que je ne pratiquais plus mon véritable style de jeu. Je mettais mes énergies à la mauvaise place. »

Afin de vous assurer une vie de plénitude, vous devez accepter le fait que vous êtes capable d'atteindre l'inaccessible. Cet esprit de combativité vous donnera l'attitude d'un conquérant et les traits de caractère d'un champion. Votre vie sera beaucoup plus productive et prospère. Votre estime de soi sera soutenue par le bonheur et vos rêves se multiplieront comme des petits poissons rouges. La route qui mène à la vraie conquête est accessible uniquement si vous décidez de vraiment suivre votre mission personnelle et de pousser vos limites. Vous devez voir grand ! C'est un objectif beaucoup plus vaste que vous-même. Ce principe de grandeur est le fondement de vos rêves et de vos aspirations, lesquels deviendront la source de vos motivations.

Aucun humain n'est privé d'occasions ni de situations pour s'affirmer. Certains voient l'adversité comme une chance d'avancer, alors que d'autres s'effondrent devant l'inconnu par peur de subir un échec ou de paraître ridicules. Malgré cette perception, vous devez savoir que la justice humaine existe vraiment. Un fait demeure pour toute l'humanité : ce n'est pas ce qui vous arrive dans la vie qui confirme le résultat, mais plutôt ce que vous allez et devez faire dans les circonstances. Vos accomplissements passent par votre estime de soi, vos inspirations et votre profonde volonté de réussir. Vous avez un accès illimité à la persévérance, à la créativité, à la passion, à la vision et à la discipline pour changer votre destinée à jamais.

Rendu à cette page du livre, il est temps d'admettre que *vous avez été choisi afin de suivre votre vision et d'écrire votre propre page d'histoire*. Votre chemin vers le succès vous est propre et unique. Vous êtes le seul maître absolu de vos rêves, de vos pensées et de vos forces. Vous êtes le répartiteur de vos actions et le juge de vos résultats.

Découvrons les facultés indispensables pour réussir ainsi que leurs puissances remarquables. La réussite ne dépend pas uniquement de ce qui vous manque, mais aussi de la façon dont vous utilisez ce que vous possédez déjà. Chaque rêve renferme une énergie pure et inépuisable. Connaître son plein potentiel et agir en conformité avec ses aspirations, voilà le chemin qui vous propulsera vers le bien-être. Prendre la décision d'agir vous garantit une existence spectaculaire, active, captivante, passionnante et prospère. Maîtriser chacune de vos habiletés vous apportera l'abondance, l'exultation, l'enchantement et la paix intérieure. Maintenant, au travail ! Commencez immédiatement à découvrir votre plein potentiel et votre puissance.

7

L'estime de soi

On surestime ce que l'on n'est pas et on sous-estime ce que l'on est.

MALCOLM FORBES

Votre estime de soi est la pierre d'assise de tout votre être. Elle est l'essence même de vos forces ou de vos faiblesses. L'estime de soi est l'acceptation de votre identité, laquelle repose sur la somme de toutes vos compétences, aptitudes et capacités. C'est la pièce maîtresse de votre échiquier. Toutes vos autres forces sont stratégiquement mises en situation pour protéger cet élément d'une valeur inestimable. L'estime de soi mesure la considération que l'on a de sa propre personne, le respect et l'amour que l'on s'attribue à soi-même. Il s'agit en quelque sorte d'un baromètre révélant dans quelle mesure vous vivez en concordance avec vos principes et vos valeurs.

Votre estime de soi se manifeste par l'amour et le respect que vous avez de vous-même. Cette appréciation que vous vous portez vous pousse à agir avec conviction et sérénité. Il faut admettre que l'évaluation que vous faites de vos comportements vous atteint toujours. Devant chaque action, opinion, sentiment ou réaction, vous émettez votre propre verdict. Vous vous dites : « Ce que j'ai fait est bien » ou « Ce que j'ai fait est mal ». Dans le premier cas, l'action vous valorise et vous stimule alors que, dans l'autre, vous vous sentez dévalorisé et démoli. Peu importe l'appréciation que vous avez de vous-même, elle s'inscrit immédiatement dans votre mémoire et s'attache comme un cordon ombilical au concept de votre estime.

Il faut reconnaître que l'estime de soi est une valeur fragile et changeante. Elle augmente chaque fois que vous agissez en respectant vos standards et diminue chaque fois que votre comportement les contredit. Il est normal qu'elle soit très bienveillante ou parfois médiocre selon les événements que vous vivez et les résultats que vous obtenez. Un fait demeure cependant : une haute estime de soi favorise la réussite et des relations épanouissantes. Elle aide à prendre des risques, à chercher des solutions innovatrices, à faire preuve de ténacité et de persévérance. Ces attitudes de gagnant vous attirent la réussite qui, à son tour, alimente votre confiance et votre estime personnelle. Par ailleurs, l'addition de chaque petite victoire permet de supporter des échecs qui seraient catastrophiques pour les personnes à l'estime fragile.

L'estime de soi est comparable aux racines d'un arbre. Bien fertilisée, bien alimentée, elle vous donnera un arbre fort et puissant jusqu'à la cime. Votre estime personnelle fait surgir votre puissance intérieure comme le tronc d'un arbre. Elle devient forte et droite comme l'arbre qui arrive à supporter toutes ses branches avec puissance et dignité. Un arbre admirable et majestueux vous fournira toujours des fruits en abondance. Votre degré d'estime de soi vous assurera une place de choix dans l'humanité et vous garantira prospérité, succès, reconnaissance et bien-être.

Croyez-vous en un être supérieur ? Croyez-vous qu'Albert Einstein était un génie ? Croyez-vous que l'homme a vraiment marché sur la Lune ? Croyez-vous en vous ? Vous devez répondre oui à toutes ces questions, car chacune d'elles est remplie de vérité, d'exactitude et de foi.

Avoir l'estime de soi, c'est non seulement *croire* qu'on possède toutes les facultés pour réussir ; c'est aussi *accepter* qu'on a les aptitudes nécessaires pour soulever des montagnes. Vous pourrez tout accomplir dans votre vie si vous ***admettez*** que vous possédez les qualités nécessaires pour réussir en abondance. L'estime de soi vous demande d'être assez modeste envers vous-même pour admettre que vous êtes un être impeccable et un exemplaire unique parfaitement doté des aptitudes nécessaires pour réussir et vivre le succès.

À un certain moment de votre vie, si vous avez été bon, tolérant, aidant, bienfaisant, charitable, aimable, serviable, compréhensif, plaisant, charmant, gentil, flatteur, complaisant, compatissant, indulgent, disponible, secourable, clément, accessible, généreux, encourageant, patient, protecteur, intéressant, inspirant et efficace avec vos semblables, c'est que vous avez, hors de tout doute, toutes ces qualités en vous. Sachez que vous êtes digne de recevoir ces cadeaux et ces qualités pour vous-même. Vous les méritez sans aucune rémunération ou faveur en retour.

Celui qui possède la confiance en lui construit, définit, bâtit et réussit ses propres rêves. Ne soyez pas comme certaines personnes qui ont si peu de confiance en leurs moyens qu'elles n'exécutent que des tâches ingrates, ou comme d'autres qui ne suivent que les directives données par leurs pairs. Votre confiance vous accorde une somme abondante d'assurance et de force pour atteindre le succès. En ayant foi en vous, vous reconnaissez vos talents, vos limites et vos compétences, et vous vous en servez pour concrétiser vos aspirations.

Lorsque vous croyez en vous-même, vos possibilités de réussite augmentent au centuple, ce qui n'est pas une équation mathématique mais une vérité. Le plus grand secret de votre foi, c'est qu'elle vous fait découvrir vos talents et déployer vos multiples qualités pour réussir. Souvenez-vous toujours que votre estime personnelle grandit devant chaque effort et chaque réussite. Le gagnant parle peu : il agit. Il ne ménage aucun effort pour accéder à la plus haute place du podium. De plus, les gagnants ne prévoient jamais une conclusion ou un résultat sans avoir essayé au préalable. Pour eux, il est impossible de connaître le dénouement d'une activité sans avoir tenté de l'accomplir.

Le créateur de l'automobile moderne, monsieur Henry Ford, a dit ceci : « Que vous croyiez ou non à votre succès, vous avez raison ! » Une des plus grandes leçons dont vous devez vous souvenir est que vos actions seront toujours en accord avec vos convictions profondes et conformes à vos propres décisions inconscientes.

Votre estime de soi témoigne de votre propre sentiment d'honneur et de dignité. Elle prend en considération l'ensemble de vos possibilités et votre courage d'agir. Chaque être humain possède une valeur, une saveur et une couleur qui lui sont propres. Cette valeur se reflète dans les actions et dans le degré de fierté. La gloire de votre foi se fait sentir dans tous vos gestes et accomplissements.

Votre estime de soi est une liberté qui définit votre degré d'assurance et de conviction. Ne laissez jamais une personne miner vos convictions, immobiliser vos désirs ni démolir vos aspirations les plus profondes. Portez-vous garant de votre propre réussite. Saisissez les occasions de relever des défis et de repousser vos propres limites. De cette façon, vous échapperez au sentiment d'infériorité. Ce sentiment anéantit le degré de certitude et augmente le sentiment de culpabilité. Le jour où vous cesserez de vous laisser écraser par vos échecs ou par les opinions néfastes d'autrui, votre sentiment d'infériorité disparaîtra rapidement. Dès cet instant, votre estime personnelle s'en portera beaucoup mieux et vous en ressentirez les bienfaits à la fois sur les plans mental et physique.

N'acceptez pas les idées négatives ou les préjugés des gens face à vous-même. Échappez à cette destruction mentale. Soyez puissant et résistant devant les commentaires néfastes et rejetez toutes les remarques désobligeantes ou fâcheuses : elles ne vous appartiennent pas. Trop de gens cherchent uniquement à se remonter eux-mêmes en écrasant les autres. Ce sont des tueurs de rêves ou des faibles d'esprit.

Vous savez, c'est seulement au moment où on coupe un arbre qu'on regrette son ombre. Votre foi en vous dégage vos désirs, vos talents et vos besoins qui se manifesteront par vos actions. L'estime de soi est un territoire tellement vaste et complexe de votre âme qu'il est parfois difficile d'en protéger tous les recoins. C'est pourquoi l'estime de soi est aussi fragile qu'une petite figurine en porcelaine et si difficile à protéger. C'est aussi pourquoi la plus grande menace à vos désirs et à vos ambitions est de croire que votre estime de soi n'est plus en accord avec vos propres attentes et exigences.

Dans ces moments-là, l'estime que vous avez de vous-même sera comme un ancrage qui vous empêchera d'avancer. Prenez l'habitude de vous exprimer. Chaque fois que vous faites part de vos idées, que vous défendez vos valeurs, vous renforcez votre propre estime. Mettez de l'avant vos convictions et vos certitudes. La foi n'attend ni le moment propice ni des conditions idéales ou des garanties pour assurer le succès. N'attendez pas ce moment : il n'arrivera jamais.

Lorsque vous évitez ce processus d'affirmation, le doute s'installe rapidement et vous commencez à hésiter, à soupçonner et à vous imputer les insuccès de vos démarches. Vous méritez beaucoup plus que des déceptions et des déboires. Vous valez l'ampleur de votre estime de soi. Plus cette estime est protégée et élevée, plus vous voyez grand pour votre vie. Ce signe de confiance en vous-même vous fait regarder les échecs comme des erreurs de parcours dont il vous faut tirer des leçons qui serviront à ajuster vos stratégies.

Gardez toujours en mémoire vos petits ou grands succès, votre capacité d'agir, votre courage et votre persévérance devant l'adversité. Ne laissez jamais aucun échec ou obstacle ralentir l'élan de votre foi et votre détermination à poursuivre votre voie. *N'acceptez jamais qu'une personne abaisse votre intégrité ni votre volonté à poursuivre vos rêves.* Fiez-vous toujours à vos valeurs et à vos aspirations intérieures. Ces dernières sont vos fidèles complices pour soulever des montagnes. Votre estime de soi est votre porte d'entrée au bonheur. Elle stimule vos désirs, réconforte votre volonté et vous rassure dans vos intentions de construire votre moment présent. L'être humain est né pour croire en quelque chose. Maintenant, il est temps de commencer à croire en vous.

8

La volonté

Le pessimisme de la connaissance n'empêche pas l'optimisme de la volonté.

ANTONIO GRAMSCI

La volonté triomphe toujours. Elle est essentielle à la réussite et illustre l'ampleur des convictions. Plusieurs personnes la considèrent comme l'enfant prodige des désirs et des exigences. Au contraire, la profondeur de votre volonté est née de votre besoin de vouloir obtenir un résultat. Vos désirs orientent et stimulent votre volonté pour accomplir certaines activités bien particulières. La volonté est là surtout pour aider à réaliser vos rêves.

Votre simple volonté peut-elle être assez forte pour changer quelque chose de réel dans votre vie ? Seulement si vous le voulez. Oui ! Votre volonté a des pouvoirs immenses. Mais encore faut-il qu'elle soit réelle et profonde ; pour qu'elle soit concrète, vous devez vouloir ce qui est de l'ordre de l'accessible. Le plus grand pouvoir que vous avez, c'est de ne jamais mettre de barrières à votre volonté.

Si le désir est la mère de la volonté, cette dernière engendre la persévérance. Ensemble, ces générations contribuent à nourrir votre esprit de rêves, d'actions, d'efforts et de résolutions. Souvenez-vous qu'une volonté qui ne s'alimente pas en s'affirmant souffrira bientôt de malnutrition. Elle s'affaiblira et deviendra inapte à entretenir votre degré de persévérance, d'initiative, d'intuition ou de créativité. Vos désirs définissent la quantité et la qualité de vos aspirations. Soyez pleinement conscient que votre volonté planifie la destination, mais n'oubliez pas que c'est par votre persévérance et vos actions que vous construirez le chemin qui vous mènera à la réussite.

Sans une certaine dose de volonté, le désir de réussir n'existe presque plus. Les rêves meurent lentement et les images de succès se dissimulent lentement dans le brouillard. La source de toute motivation, de tout désir, de toute intention et de toute détermination se greffe à votre volonté de réussite comme les wagons d'un train. Votre volonté est le réflexe obligatoire qui comble tous vos besoins. Ce qui pousse une personne saine d'esprit à expérimenter la joie, la colère, la tristesse, la passion, la haine ou l'amour, c'est la volonté de construire ou de détruire. Lorsque vous aurez véritablement cerné les raisons pour lesquelles vous voulez obtenir du succès ou fuir vos craintes, vous pourrez consacrer toutes vos énergies à remplir votre mandat personnel.

Une superbe démonstration de volonté et de courage constant nous vient d'Eric Moussambani, un nageur inconnu de la Guinée, qui est devenu célèbre à la suite de sa participation aux Jeux olympiques. Le 19 août 2000, à Sydney en Australie, cet homme est devenu le héros d'une véritable histoire de positivisme, une histoire qui a été relatée par toute la presse mondiale. Ce jeune nageur de 22 ans a en effet parcouru la distance au

100 mètres en style libre masculin dans un temps de 1 minute 52 secondes et 72 centièmes, soit seulement sept secondes de moins que le record du monde de Pieter van den Hoogenband au 200 mètres. Ce jeune homme de couleur pratiquait la natation depuis à peine deux ans. Il n'avait jamais nagé ni pratiqué dans une piscine de plus de 30 mètres. Imaginez, lors des Jeux olympiques, il devait faire 50 mètres d'un seul coup, aller et retour. Pendant la compétition, il semblait complètement épuisé et prêt à abandonner à quelques mètres de la fin. La foule australienne l'a chaleureusement applaudi et encouragé à continuer. Il a réussi. À peine sorti de l'eau, monsieur Moussambani avait de la difficulté à croire ce qui lui arrivait. La foule l'ovationnait comme s'il venait de remporter une médaille. D'ailleurs, le comité lui a décerné une médaille d'or de participation pour sa volonté, son courage et sa détermination. « Je croyais que j'allais couler ! a confirmé le nouveau héros des Jeux. Quand j'ai entendu les gens crier, ça m'a donné de la force. »

Cette histoire de volonté et de courage a intéressé le producteur Oliver Stone, de Hollywood. Ce dernier va tenter de convaincre le jeune Guinéen de jouer son propre rôle dans le film *Making Waves* (Faire des vagues). La morale de cette histoire est fort simple. Lorsque nous avons suffisamment de volonté, nous pouvons réussir d'immenses choses et soulever des montagnes. Il ne faut jamais abandonner ses rêves ni économiser ses efforts pour les atteindre. Il faut y croire ! Monsieur Denzel Washington, à qui on a décerné l'Oscar du meilleur acteur pour son rôle dans le film *Hurricane* a eu cette réflexion : « Lorsque j'ai vu Moussambani, complètement affaibli, franchir la distance malgré son épuisement total, j'avais les larmes aux yeux. » Cette plaisante agitation autour de la volonté du nageur a presque irrité les autres participants qui ont remporté les médailles du 100 mètres style libre. Lors de la remise des récompenses, les gagnants des médailles n'ont pas apprécié les cris « Eric ! Eric ! » qui enterraient l'hymne national des Pays-Bas.

Une des meilleures façons d'alimenter sa volonté est de bien définir ses vraies motivations intérieures. Identifier ses véritables motivations permet de se rapprocher plus rapidement du résultat souhaité. Il y a deux questions de grande importance dans ce livre. Les voici : « Qu'est-ce que je veux vraiment accomplir dans ma vie ? » et « Que dois-je faire pour l'obtenir ? » Si vous ne vous êtes jamais posé ces deux questions fondamentales concernant la réussite, vous pouvez attendre très longtemps avant de vivre le couronnement du succès. Les gens qui arrivent à répondre à ces deux questions agissent en conséquence et parviennent rapidement à la réussite. C'est tout !

N'attendez pas d'espérer avant d'entreprendre la concrétisation d'un de vos rêves ; vous n'avez qu'à revoir votre degré de conviction et à persévérer dans la direction que vous avez choisie. Votre volonté est la clé qui vous donne accès à vos talents, à vos habiletés et à vos capacités pour atteindre une destination finale. Sans volonté, on supprime les inspirations, on retire les idées de grandeur et on affaiblit son potentiel. Malheureusement, la volonté ne se mesure pas par des méthodes de calcul, mais par des affirmations et une attitude de conquérant. Les champions poursuivent toujours des itinéraires clairement définis et bien ciblés.

La volonté vous donne une vision claire de vos efforts et aucun obstacle ne peut vous empêcher de réaliser votre destinée. À vouloir des choses, on les obtient ! Cette démarche a été démontrée un million de fois par les enfants. Vos gestes et comportements influencent les événements et augmentent vos forces ainsi que vos possibilités d'être heureux. En général, les gens recherchent uniquement la satisfaction dans le résultat qu'ils désirent obtenir plutôt que de regarder le plaisir que leur apporte chaque petit pas franchi pour y arriver. Le fait d'avancer à petits pas et d'apprécier votre cheminement vous aide à faire des choix éclairés, à utiliser le discernement et à cultiver vos efforts. Cette démarche vous permet de maîtriser le déroulement du processus du succès et vous permet d'avancer en toute quiétude.

Voici l'histoire de la mouche. Une mouche entre dans une maison. Au bout d'un certain temps, elle décide de sortir. Son désir est de retrouver l'espace illimité et l'odeur des fleurs. Elle bat rapidement des ailes pour pouvoir sortir de la cuisine. Par la fenêtre, elle aperçoit un arbre, ce qui augmente considérablement sa volonté de liberté. Elle vole le plus rapidement possible vers la fenêtre. Malheureusement, la mouche arrive tête première contre la vitre. En dépit de cet obstacle, elle est déterminée à partir. Battant des ailes de plus en plus vite, elle s'obstine à poursuivre son projet. Malgré sa vision oculaire de plus de deux cents degrés, la mouche se heurte continuellement la tête contre la vitre. Tranquillement, sa persévérance se change en obsession et elle commence à se détruire. Ses efforts se transforment en automutilation. Finalement, elle se décourage, se sent abattue par tant d'efforts qui ne mènent à rien. La mouche sait très bien qu'elle peut accéder à la liberté, mais elle est trop épuisée pour poursuivre son objectif. Et puis soudain, une main anonyme l'attrape et la projette vers l'extérieur de la maison par une porte toute grande ouverte qui se trouvait à moins d'un mètre de la fenêtre.

Combien de fois avez-vous eu la ferme volonté de réussir et étiez-vous empreint d'une énergie à toute épreuve, sans jamais apercevoir les occasions justes ? Votre persévérance vous aveugle-t-elle devant les ouvertures, les options ou les choix qui s'offrent à vous pour concrétiser vos rêves ? La morale de cette histoire est de ne jamais laisser sa volonté voiler la réalité. Même avec la plus grande volonté du monde, vous ne pourrez jamais faire entrer un cube de dix centimètres à l'intérieur d'un cercle de huit centimètres sans le briser. C'est comme vouloir faire aboyer un chat. Cela n'arrivera pas !

Vos projets doivent toujours être à la mesure de vos capacités et de vos habiletés. Même si vous avez une volonté de fer, rappelez-vous que le fer, s'il n'est pas protégé, rouille avec le temps. Vous devez utiliser votre volonté avec réalisme, rigueur et sagesse. Lorsque les gens de foi disent « Que votre volonté soit faite », je ne crois qu'ils parlent nécessairement de vous !

9

La passion

La passion est une obsession positive. L'obsession est une passion négative.
PAUL CARVEL

Votre passion est la quête ultime de satisfaction et de bien-être. Personne ne peut mettre en doute ce sentiment intense et de grande puissance ni vous éloigner de votre but. La passion consiste à découvrir ses aptitudes et ses intérêts dans l'unique but de les mettre à contribution pour atteindre son objectif. Les personnes qui portent en elles cet ardent désir de faire avancer une idée, un projet ou un souhait profond le font sans égard aux opinions ou aux commentaires de leur entourage. Cette idée transforme les rêves en réalité ; elle encourage un changement de comportement et donne le goût de faire les efforts nécessaires pour atteindre l'objectif visé.

Votre conscience est la voix de votre intelligence, et la passion est l'exécution de vos désirs les plus profonds. Votre degré de passion stimule le mouvement de votre conscience vers un objet, une réalisation ou une sensation qui fait apparaître une promesse de plénitude et de satisfaction intérieure. La passion structure votre conscience selon un résultat bien précis et vous donne la ferme intention d'atteindre ou même de dépasser ce résultat. Elle vous amène à concevoir, à anticiper ou à imaginer un sentiment avec le seul objectif de produire un résultat exaltant, ce qui vous conduit à des actes concrets.

Pour que la passion surgisse, il faut avant tout qu'un rêve envahisse votre conscience et qu'aucun élément extérieur ne puisse vous éloigner de votre mission ou vous empêcher de la remplir. Cependant, prenez garde car la passion est une action qui vous fait parfois rechercher des effets imparfaits, mais durables, et envisageables tels que la gloire, la reconnaissance, la liberté ou l'amour. Par contre, elle peut aussi solliciter la destruction, la souffrance, le malheur et la haine. Ce processus vient du fait que la passion décuple en fonction de la conscience. La passion produit une action. Votre raison peut décider ce qu'il faut faire pour réussir, mais votre passion vous encouragera à faire ce qu'il faut pour y arriver. Votre passion se mesure par vos accomplissements.

Nous n'avons qu'à penser au président George W. Bush et à la guerre en Iraq. Monsieur Bush était obsédé par l'idée de chasser Saddam Hussein, ce qui l'a aveuglé au point de se servir de la désinformation médiatique et d'exercer son pouvoir présidentiel de façon féroce. Son besoin de revanche aux attentats du 11 septembre et la passion qu'il avait de sauver le monde l'ont empêché de bien regarder tous les faits et d'accepter toute autre forme de réalité que la sienne. Nous pouvons aussi regarder la passion du pouvoir et la vanité de plusieurs membres exécutifs de la firme Enron. La chute de cette compagnie a constitué la plus grande faillite financière dans l'histoire des États-Unis. Cette entreprise a consciemment laissé des milliers de personnes perdre toutes les sommes qu'elles avaient économisées dans le but de vivre une retraite paisible. L'acteur principal, monsieur Kenneth Lay, président et chef de direction, ainsi que monsieur David Duncan, partenaire de la firme comptable Anderson, avaient une « passion » pour l'argent et le gain. Ce genre de passion est cependant néfaste et destructif. Une saine passion comprend certes un intérêt illimité pour réussir, mais elle doit aussi inclure le désir de ne pas nuire aux autres, ce qui permet d'éviter l'égoïsme, la violence, l'aliénation, les tragédies, l'appauvrissement et l'inconscience morale.

Chaque fois qu'on parle de passion, on parle aussi de succès mesurable, ce désir de connaître la satisfaction et l'épanouissement par ses actes et ses efforts. La passion est une attitude positive qui dégage une assurance, un intérêt et une liberté de choix. Lors de la toute première remise de prix à la personne la plus influente auprès des adolescents, le Teen Idol Awards, Mike Myers, ce comédien canadien qui interprète le rôle d'Austin Powers, a dit : « Le seul conseil que je puisse vous donner est de ne jamais lâcher ! C'est la clé de tout succès. »

Dans les années 1930, Joe Weider était un jeune homme grand et maigre. Après l'école, son frère Ben et lui ne pouvaient pas se rendre à leur résidence, dans un quartier difficile de Montréal, sans se faire bousculer ou faucher par des voyous. Ils souffraient de se faire constamment ridiculiser par les adolescents du quartier. Ils détestaient leur apparence physique, leur poids de 41 kilos et leur attitude de pleurnichards. Lorsqu'ils ont commencé à vieillir, les frères ont fabriqué de l'équipement de culture physique à partir de vieilles pièces de métal qu'ils avaient trouvées derrière une usine de métallurgie. Les jeunes hommes ont découvert que les poids et haltères contribuent rapidement à développer la musculation et la physionomie. Plus importantes encore étaient la croissance de leur estime personnelle et la confiance qui émergeait en eux. Ces jeunes hommes ne se doutaient nullement que leur passion pour l'exercice et leur attitude positive marqueraient le début de leur carrière internationale. En bout de ligne, leur nouvelle façon de vivre allait créer un impact pour des milliers de personnes à travers le monde.

À cette époque, la mère de Joe et Ben voulait que ses fils trouvent un emploi convenable, craignant qu'ils ne deviennent de futurs criminels. Cependant, elle était convaincue que la passion de ses enfants pour la culture physique était plus grande que sa volonté maternelle. Avec sept dollars en poche, Joe a publié son premier magazine, *Votre physique*. En 1946, les frères ont organisé le tout premier concours de Monsieur Canada, à Montréal. Depuis ce temps, Ben a exporté le concept de culturisme en Europe. Aujourd'hui, la marque Weider est présente dans plus de 150 pays et on distribue plus de 1 700 000 copies de la revue *Muscle Fitness*.

Subséquemment, Joe et Ben ont introduit leur philosophie dans le cadre du concours de Monsieur Olympia, qui prônait la recherche de l'être humain en son ensemble, soit le corps, l'intelligence et l'esprit. Lors d'une récente entrevue avec Ben, alors âgé de soixante-dix ans, on lui a demandé : « Est-il vrai que vous travaillez toujours 70 heures par semaine ? » Il a rétorqué : « Absolument pas ! » Après une brève pause, il a poursuivi : « Je travaille moins de 20 heures par semaine. Le reste du temps, je m'amuse. J'aime trop ce que je fais pour dire que je travaille. » Voici un homme qui, sur la scène mondiale, partage avec son frère une passion commune pour la santé physique et mentale de l'être humain. Les frères Weider ont créé un impact extraordinaire dans la vie de milliards de gens avec leur philosophie, leurs produits et les rassemblements qu'ils ont suscités. Ben explique : « Ceci est notre contribution, nos vies et notre engagement. Vous connaissez l'ampleur de notre passion. »

Il ne faut pas confondre la passion avec les talents. Les talents ne s'acquièrent pas, ne s'achètent pas et ne s'empruntent pas. Ils sont innés et ne demandent qu'à être sollicités. Vous avez la capacité de développer vos talents en fonction de votre propre besoin de réalisation. Les aptitudes d'accomplissement sont uniques et propres à chaque individu. D'une certaine manière, elles forment votre personnalité et vos réalisations. Vos talents servent à développer un aspect de votre vie, mais la passion confirme votre mission de vie et vous aide à la communiquer.

Un des plus grands passionnés de la vie, Christopher Reeve, vient juste de mourir. Il représentait un stimulant exemple d'espoir et de détermination. Ce grand acteur avait interprété le personnage de Superman à quatre reprises. Héros à l'écran, il l'est devenu davantage dans la vie. En mai 1995, il s'est brisé le cou dans une chute lors d'une compétition équestre en Virginie. Il était paralysé du cou jusqu'aux pieds. Privé de toute sensibilité, il ne pouvait plus quitter son fauteuil roulant et était contraint d'utiliser un respirateur artificiel. Il est devenu tétraplégique.

Malgré cet important handicap, voilà qu'a commencé sa véritable mission. Modèle d'espoir et de détermination, il a entrepris un programme intensif de rééducation axé sur les stimulations répétées des muscles. Puis en 1999, il a renoué avec le cinéma. Très impliqué dans la recherche scientifique, il est devenu le porte-parole pour une collecte de fonds destinée à découvrir des traitements appropriés aux traumatismes de la moelle épinière. Il a parcouru le globe pour donner des conférences d'espoir et de passion. Son message était de ne jamais abandonner et de toujours garder espoir. Cette personne est devenue une inspiration mondiale par son courage et sa persévérance.

Après son accident, il a dit : « Peu importe ce que la vie peut me lancer comme défi, je sais que je peux toujours me battre. » Son attitude de guerrier et son désir de combattre l'adversité ont témoigné de sa grande force intérieure et de sa détermination à vivre une vie saine, exempte de toute pitié. D'ailleurs il disait aux sceptiques : « Plus les gens s'inquiètent pour moi, plus je les surprends. » Il faut toujours se souvenir ici que nous parlons d'une personne qui ne bougeait que les yeux et la mâchoire. Christopher dépendait complètement de son entourage pour la moindre activité quotidienne. Malgré ces conditions cruellement humaines, il dirigeait toujours des productions de films et partageait son vécu avec qui voulait l'entendre. Il n'éprouvait aucune honte ni aucun déshonneur à se montrer tel qu'il était. Lors d'une entrevue, on lui a demandé ce qui lui manquait le plus depuis son accident. Il a répondu : « L'obstacle le plus difficile à surmonter, c'est de ne plus pouvoir serrer mon fils Matthew et ma fille Alexandra dans mes bras. Je les embrasse avec mes yeux et ma pensée. » À sa mort, un de ses médecins a témoigné de son courage : « Plus que quiconque, Christopher m'a appris à me servir de deux mots : espoir et passion. »

La passion peut devenir le moteur du succès et la bougie d'allumage qui fera démarrer les actions. Elle élimine toutes les incertitudes, oppositions et obscurités. Elle est tenace et cherche un résultat qui apaise le besoin d'obtenir quelque chose qui est parfois plus grand que soi. Votre passion est une émotion très puissante et constante qui domine votre raison et conduit toutes vos forces et énergies vers un but très précis. Bref, elle reflète votre âme et vos valeurs. Le sage sait quoi faire, vos talents savent comment le faire, mais la passion vous impose de le faire. Il est temps de mettre votre passion de l'avant et d'agir. Je vous garantis que vous soulèverez des montagnes.

10

La persévérance

La persévérance est la noblesse de l'obstination.

ADRIEN DECOURCELLE

La persévérance contribue à stimuler vos actions afin de poursuivre le chemin du succès. Cette vertu révèle l'ampleur de votre volonté et confirme votre résistance à ne jamais abandonner. Sans courage, vos désirs figent à l'étape de l'intention. Sans persévérance, vos rêves meurent avant même de commencer. La persévérance donne ce que refusent la compréhension et l'intelligence. Pour employer le langage actuel, disons que la persévérance est très lucrative. Cette aptitude consiste à ne jamais renoncer, à ne jamais abandonner un rêve sans en connaître l'issue.

Lorsque la route est remplie d'épreuves et que vous ne voyez pas la lumière au bout du tunnel, il est permis de vous arrêter pour réfléchir, mais vous ne devez jamais abandonner. Lorsque le doute s'empare de vos aspirations et que le succès vous fuit, peut-être qu'à votre insu vous êtes tout près de la réussite. Avec la persévérance, rien n'est impossible. Ne vous endormez jamais en pensant qu'une chose est irréalisable, car vous risqueriez de vous faire réveiller par les cris de joie d'une autre personne qui l'a accomplie.

Votre persévérance à poursuivre une démarche établit la hauteur de la barre de vos intentions et confirme vos traits de caractère. Le déploiement d'efforts et de temps authentifie votre désir de réussir. Si la volonté est la maîtresse de vos désirs, votre persévérance est son humble servante. Unies comme des jumelles, ces deux qualités font de vos intentions une besogne remarquable et tangible. À mesure que vous progressez dans votre mandat, la persévérance prend de plus en plus d'altitude et d'ampleur. Elle défonce les obstacles et détruit les mythes de l'impossibilité. Le plus simple et minime progrès entraîne votre motivation et renforce votre enthousiasme à continuer votre route. Lorsque vous vous êtes fixé un but précis, votre persévérance confirme davantage vos efforts et votre degré d'acharnement.

L'histoire suivante concerne Roger Monette junior, un de mes très bons amis qui est président d'une firme de transport. Comme plusieurs entreprises, la sienne œuvre dans un domaine très compétitif avec des marges de profit restreintes. Une seule erreur de planification peut mettre la compagnie en difficulté. Les clients de l'entreprise sont exigeants et les employés sont continuellement à la recherche des précieux commentaires du président. Afin de motiver ses gens et de jouer un rôle de leadership exemplaire, Roger travaille sans relâche à redéfinir les standards et à trouver de nouvelles niches pour subvenir aux besoins de ses employés, associés et créanciers. Ses responsabilités sont énormes et ses propres attentes sont très élevées. Parfois, on a l'impression qu'il est le seul à croire que l'entreprise peut atteindre une profitabilité acceptable et une haute performance. Pendant des années, les gens le voyaient travailler dans le seul but d'atteindre sa vision et de surpasser ses propres objectifs. Roger est un travailleur infatigable et un homme d'une droiture hors pair.

Chaque jour, il recommençait, s'ajustait et modifiait ses plans pour faire progresser son entreprise. Une fois, je lui ai demandé sèchement : « Roger, crois-tu vraiment pouvoir rendre ton entreprise enviable et atteindre un niveau d'excellence ? » Sans aucune hésitation, il a répondu : « Bien sûr que oui. J'aime beaucoup ce que je fais et j'ai toujours le goût d'avancer. C'est évident que je vais réussir. Tu sais, je ne travaille pas vraiment. Parfois, je m'amuse. » Son regard et son affirmation m'ont renversé. Roger n'a ni douté de lui, ni bronché, ni esquivé ma question. Sa conviction s'exprimait à travers un sourire qui témoignait de sa grande persévérance et de son assurance. C'était clair : il était convaincu que tous ses efforts n'étaient pas vains. Aujourd'hui, Roger a non seulement fait grandir son entreprise, mais il exploite aussi de nouveaux domaines dans le milieu du transport. Roger avait une mission, il était convaincu et il a persévéré jusqu'à l'aboutissement de celle-ci. Cette vérité est d'une importance capitale pour connaître le succès. Dans la partie à venir, nous allons revoir en profondeur la pleine puissance d'aimer ce que l'on fait.

Quoique l'art de douter reste toujours la meilleure prescription pour s'ajuster ou modifier un parcours, la détermination demeure le meilleur remède contre le découragement et la défaite. Un exemple extraordinaire provient de monsieur Édouard Simard, chef de Marine Industries et Sorel Industries. Cette usine fabrique de l'équipement naval. Pendant la Deuxième Guerre mondiale, ses installations sont devenues le lieu de fabrication du célèbre Twenty-Two Pounder, ce fameux canon d'artillerie qui a permis aux Anglais et à la coalition de gagner la guerre. Dans un reportage, on raconte l'histoire d'un journaliste qui avait interviewé monsieur Simard dans le but de l'inciter à dévoiler ses secrets en affaires. Monsieur Simard s'est exprimé en ces termes : « Moi, Monsieur, je ne suis pas comme vous tous. Je ne pêche pas tant qu'il y a du poisson. Moi, mon cher Monsieur, je pêche tant qu'il y a de l'eau ! » Cette histoire confirme l'esprit même de la persévérance. Une personne déterminée trouve toujours les ressources nécessaires pour soulever des montagnes.

La persévérance est un engagement personnel à poursuivre ses rêves sans relâche ni laisser-aller. Lorsqu'un champion a une idée fixe en tête, il ne pense pas seulement à atteindre son but ; il agit et chemine jusqu'au bout de ses capacités, et ce, jusqu'à ce qu'il rencontre son objectif ultime. Il ne ménage pas ses efforts et n'oublie pas sa vision de réussite. Voici le très bel exemple du vieillard qui marchait le long d'une plage. Soudain, l'homme a aperçu devant lui un centaine d'étoiles de mer échouées sur la plage. Au loin, il a remarqué une petite fille qui ramassait les étoiles de mer et les remettait à l'eau, une par une. Le vieillard s'est avancé et s'est exclamé : « Pauvre petite fille ! Vous ne pensez sûrement pas sauver toutes ces étoiles de mer. Il y en a beaucoup trop. » La petite fille a regardé le vieux monsieur en souriant et lui a répondu, en montrant l'étoile de mer qu'elle tenait à la main : « Je sais, mais je peux sûrement sauver celle-là. » Et elle l'a remise à l'eau et a poursuivi : « Et celle-là, et ... » La persévérance ne calcule pas le temps ; elle n'a pas de préjugés en ce qui concerne la reconnaissance de vos efforts et la mesure de vos intentions. La loi consiste à poursuivre ce qu'on a décidé de réaliser, et ce, sans jamais douter du résultat.

Veillez toutefois à ce que la persévérance ne vous contamine pas l'esprit. Elle impose très souvent un effort au-delà de la capacité et de l'habileté naturelles à réussir. Souvent, elle contourne toute forme de logique et dépasse toute pensée rationnelle. C'est comme la personne qui ne fait aucun exercice, s'alimente mal et ne s'occupe aucunement de sa santé, mais qui désire courir le marathon. Il arrive parfois que la capacité intellectuelle à persévérer exagère les possibilités ou capacités à réussir. Soyez très vigilant.

À l'occasion, votre degré de persévérance peut vous rendre sourd, aveugle et insensible. Une trop grande exploitation de la persévérance laisse le champ libre à l'obsession et à l'appréhension. La persévérance peut vous apporter une puissance énorme. Non seulement stimule-t-elle votre volonté de réussir, mais aussi ne renonce-t-elle jamais. Ajoutez-y une dose d'orgueil et de la détermination, et vous voilà prêt à tout risquer, à vivre dangereusement et même à perdre votre vie.

Vous ne devez pas croire en l'idée que seuls les efforts sont nécessaires pour réussir. Parfois, il faut savoir modifier son parcours ou revoir ses objectifs pour atteindre un but. Votre volonté a besoin de persévérance pour faire avancer les choses, mais vous ne devez jamais endormir votre capacité à réfléchir. On peut bien vouloir creuser un tunnel avec une aiguille ou faire sortir un son d'une pierre, mais la détermination a ses limites. Malgré un très haut degré de persévérance, vous pouvez certainement trouver une méthode plus efficace et favorable pour réussir. La persévérance consiste à dominer les appréhensions devant les obstacles, non pas à appréhender ces derniers. Cette subtilité distingue le chemin du jugement de l'imaginaire avec l'utilisation d'outils réels qui sont à votre disposition. D'entrée de jeu, votre volonté de réussir doit connaître la différence entre la persévérance physique et vos capacités morale et physique. La persévérance n'est pas une prière, mais une attitude et une volonté de poursuivre un rêve avec lucidité.

Un exemple extraordinaire de persévérance est celui de madame Chantal Petitclerc, une athlète qui est rentrée des Jeux paralympiques d'Athènes de 2004 avec cinq médailles d'or, dont trois pour des records mondiaux. À 13 ans, un accident a privé la jeune Chantal de l'usage de ses jambes. Un jour, un professeur d'éducation physique a convaincu la jeune fille de faire de la natation pour développer sa force physique et sa résistance. C'est à ce moment-là que Chantal a eu son premier contact avec une activité sportive; s'ensuivit l'entraînement. À 18 ans, elle a découvert l'athlétisme pratiqué en fauteuil roulant, une discipline adaptée pour les personnes handicapées. Lors de sa première compétition, elle a terminé bonne dernière.

Après les jeux d'Athènes, tous les gens étaient contents et jubilaient devant les exploits sans précédent de madame Petitclerc. Pourtant, celle qui était la moins étonnée et la moins emballée de ses succès était la championne elle-même. Devant une journaliste, Chantal a déclaré : « Je ne suis pas allée aux jeux uniquement pour participer, mais bien pour gagner les médailles d'or. Je savais que je pouvais le faire. Il n'y avait aucun doute dans mon esprit. » Devant l'étonnant exploit, elle n'était aucunement surprise, car elle était prête à réussir et elle avait tout mis en œuvre pour se surpasser. Cette dame en fauteuil roulant qui court avec la force de ses bras est montée seize fois sur le podium au cours des quatre dernières compétitions. Lors d'une entrevue télévisée, elle a conclu : « Lorsqu'on réunit tous les éléments et les efforts en même temps, au même moment, c'est magique ! » Cette phrase résume bien la recette pour soulever des montagnes et réussir l'impossible.

11

La discipline

Recherchez la liberté et vous deviendrez esclave de vos désirs. Recherchez la discipline et vous trouverez la liberté.

KOAM ZEN

Vous avez sûrement regardé les Olympiques à la télévision au moins une fois dans votre vie ! Vous avez certainement entendu parler de ces élites mondiales qui pratiquent un sport et se spécialisent dans *une discipline* en particulier. Vous êtes-vous déjà posé la question à savoir pourquoi nous disons une discipline au lieu d'une activité sportive ou d'une spécialité, ou encore simplement d'un sport en particulier ?

La réponse est évidente. Les personnes remarquables et de très haut calibre cultivent en elles-mêmes *une discipline* exemplaire et la maîtrisent dans une activité sportive. La discipline cultive la responsabilité d'exceller dans son cheminement personnel. Votre degré de discipline vous permet de réussir une activité des plus difficiles et de la rendre facile. Cet engagement à la répétition et à la constance, cette détermination à reprendre les mêmes mouvements, paroles ou gestes, est la marque de commerce de tous les gagnants. Le degré de réussite cerne vos talents et mesure vos efforts dans un contexte de discipline et de résultat.

En règle générale, avoir l'esprit de discipline, c'est faire la liaison entre les actes actuels et les actes répétés afin d'obtenir des résultats satisfaisants. Les enfants savent trop bien ce qui est permis et ce qui ne l'est pas : on l'observe bien dans leurs façons de se comporter. Vous pouvez facilement appliquer la discipline dans votre existence. À cause de notre rythme de vie accéléré, nous ne nous arrêtons pas consciemment pour savoir si ce que nous faisons est réellement important, admirable ou productif. Ce processus inconscient de répétition vous pousse à agir aveuglément dans une certaine direction afin d'atteindre le véritable succès par rapport à la production.

Pour réussir à modifier un comportement négatif de répétition, vous devez avoir de la constance, de la rigueur et de la cohérence dans vos actes. Si vous désirez obtenir le résultat désiré, vous devez avoir un but précis et respecter rigoureusement le plan que vous avez établi. L'absence de discipline dans vos comportements vous pousse à agir uniquement dans l'espoir d'obtenir du succès plutôt que de réellement vous offrir la chance d'en avoir. Votre discipline doit être simple, réalisable et inspirée par votre désir d'obtenir un résultat favorable. Lorsque vos règles sont logiques et bien structurées, il vous est plus facile de vous y plier et vos excuses disparaissent par enchantement.

Plusieurs millionnaires et milliardaires ont lu le livre *Réfléchissez et devenez riche* de Napoléon Hill. Quoique ce livre ait été écrit en 1937, il demeure l'un des plus grands vendeurs mondialement. Des personnes qui ont accumulé d'immenses fortunes mentionnent qu'elles ont investi beaucoup de temps en lisant ce livre plusieurs fois. Si cet ouvrage est toujours aussi en demande et apprécié, c'est que les gens pratiquent constamment les principes de réussite qui y sont enseignés. Après avoir étudié et interviewé des gens qui ont atteint le succès et la fortune, monsieur Hill en est venu à une conclusion inattaquable. Il affirme que si vous réussissez à maîtriser une seule des qualités menant au succès, cette qualité sera la base de votre discipline personnelle. Elle vous conduira directement à l'accomplissement de vos rêves.

Le degré de discipline démontre le degré d'engagement personnel et de conviction à réussir ou à passer à travers l'adversité. Lorsque les gens s'imposent une certaine forme de discipline ou une règle de conduite bien précise, la majorité d'entre eux vont l'exécuter uniquement par soumission ou obéissance à l'enseignement d'autrui. Cependant, lorsque la discipline est imposée par soi-même, l'obligation devient plus grande. Vous allez vous imposer le désir de vouloir réussir avec beaucoup plus d'acharnement et de ténacité. Si votre estime de soi domine la profondeur de vos désirs, faites que votre discipline participe activement à vos projets sinon le chemin sera plus ardu, plus pénible, et parfois même désagréable. On arrive rarement à atteindre son but ultime sans y mettre de discipline.

Un des meilleurs golfeurs du monde, Tiger Woods, arrive à obtenir un pointage de 67 pour une ronde de golf sur un parcours normal de 72. Pour le néophyte, on dit qu'il a joué cinq coups sous la normale. Il s'agit d'un exploit immense et très apprécié par les spectateurs. Outre cet exploit, Tiger réussit à répéter ce pointage phénoménal régulièrement. Le plus étonnant et le plus admirable dans tout cela, c'est que même après une partie ahurissante, on le voit régulièrement sur une allée de pratique à frapper de 600 à 800 balles. Cette discipline qu'il met à corriger un mouvement ou une lacune augmente largement ses chances de réussir un pointage de 66 ou de 65 la fois suivante. La discipline demande l'investissement d'efforts incessants si l'on veut aspirer au plus haut sommet du succès.

Croyez-vous que les médaillés olympiques qui battent des records dans la course du 100 mètres ou le plongeon du 10 mètres n'ont investi que le temps d'une course par semaine pendant deux ans ou qu'ils n'ont pas pratiqué un plongeon par jour pendant leurs vacances ? Est-ce possible d'espérer pouvoir atteindre un degré d'excellence sans y mettre d'efforts ? La discipline est une décision qui devient un mode de vie. Vous avez beau avoir de la volonté, de l'inspiration, une créativité hors du commun, si l'ingrédient discipline ne fait pas partie de votre recette, jamais vous n'allez être capable de satisfaire vos attentes.

Si on met mensuellement 10 $ de côté durant une période de dix ans, on sait qu'on aura accumulé un montant de 1 200 $ sans les intérêts. Cette mathématique est incontestable et vérifiable. Cette vérité existe uniquement à une condition. On doit mettre 10 $ de côté par mois pendant dix ans ! Et voilà, la discipline est une activité de décision et de répétition, une habitude très difficile à conserver. On peut à l'occasion se trouver dans l'obligation de sauter un mois. Il n'y a aucun problème car, le mois suivant, on s'engage à verser le double. Vous savez la suite : après un mois, cela devient deux et trois. Avec le temps, on oublie car le temps des fêtes arrive ou qu'on doit payer le compte des réparations de l'auto. Ce manquement à l'intention ou à l'obligation de faire ce petit geste budgétaire mensuellement n'est pas le litige. La conclusion est qu'après dix ans de torture, de misère et de faux prétextes, on n'a économisé que 1 020 $. Le résultat est décourageant et démoralisant. On croit avoir fait tous ces efforts pour rien. Rapidement, on oublie le nombre de fois que l'on a triché, falsifié, excusé, justifié, ou simplement omis de faire ce petit geste. Votre niveau de discipline est une forme de taux hypothécaire personnel sur la rentabilité de votre succès et le degré de votre réussite.

Au moment précis où j'écris ces lignes, je suis devant mon clavier d'ordinateur et j'ai le profond désir d'achever ce livre. Mon engagement personnel et ma discipline quotidienne à l'écrire étaient ce qu'il y avait de plus important. Lorsque j'ai tapé le tout premier mot, « Soulevez », sur mon écran, je me suis engagé envers moi-même à écrire ou à revoir mes textes tous les jours. Par discipline, je respecte ma propre initiative et mon engagement à vouloir avancer tous les jours vers la conclusion du livre. Demain, lorsque je vais relire ce paragraphe, je vais peut-être le modifier ou même le faire disparaître complètement. Une chose est sûre cependant, c'est que j'ai la ferme intention d'accomplir quelque chose. Demain, je relirai ces lignes avant de poursuivre. Et vous savez… j'ai effectivement réécrit ce paragraphe plusieurs fois avant de vous l'offrir ! Vous êtes content ?

Avez-vous déjà remarqué que, souvent, alors que vous avez planifié une sortie ou une activité en particulier, vous n'en avez plus vraiment le goût quand vient le moment de sortir ? Vous y allez finalement, mais uniquement par habitude ou par crainte de décevoir. Admettez qu'il arrive souvent, dans des circonstances de ce genre, que vos résultats aux cartes soient surprenants ou que vous ayez mieux joué cette partie de quilles ! La sortie a été particulièrement exceptionnelle ou votre performance a été magique. Soyez tenace !

12

La créativité

La créativité autorise chacun à commettre des erreurs. L'art c'est de savoir lesquelles garder.

SCOTT ADAMS

La créativité fait partie de votre vie. C'est la faculté qui vous permet de sortir de vos habitudes et de votre zone de confort. Dans sa plus simple expression, on pourrait dire que votre créativité est votre aptitude à concevoir la réalité autrement. La créativité s'avère un outil d'intervention efficace qui vous permet de vivre une aventure sans limites et d'envisager de nouvelles approches et occasions. Elle vous libère de toutes vos pensées habituelles et logiques, en plus d'élargir votre palette de ressources intérieures pour réussir à vivre heureux.

Étouffer son imaginaire et mettre ses idées sous verrou, c'est condamner ses pensées à l'esclavage. Jusqu'à la moitié du XIXe siècle, le concept de créativité ne faisait pas partie de la pensée scientifique. On percevait alors le monde comme opérant selon un ordre logique et bien défini. À partir des années 1930, le neurophysiologiste Roger W. Sperry s'est penché sur le concept de pensée créative. Il a découvert la double fonction cérébrale (l'hémisphère gauche-rationnel et l'hémisphère droit-créatif). Cette découverte a complètement bouleversé la compréhension de la pensée humaine. Avec l'avancement des recherches, on découvre de plus en plus que la créativité n'était pas uniquement réservée à certains élus ou savants. Selon l'éducateur Victor Lowenfield, le potentiel créatif, pour s'épanouir, ne nécessite que d'être mis en pratique. Votre créativité est le fruit d'un travail ardu qui exige une forme de liberté, des connaissances et suffisamment de passion pour vous investir dans une démarche d'aventure et de possibilités.

Plusieurs chercheurs tentent de comprendre les mécanismes par lesquels l'intelligence crée de nouveaux concepts. Même si on est bien loin d'une compréhension absolue, la conclusion des études confirme que, dans le processus de recherche de nouvelles idées, la pensée procède d'une façon déterminée et en l'absence de censure. C'est comme si votre cerveau faisait un bond sur un tremplin, une forme de gymnastique cérébrale qui l'amènerait à passer continuellement d'une forme de raisonnement habituel, logique et structural à une forme imaginative, abstraite et intuitive. Ce processus, qui fonctionne complètement à l'aveuglette, puise ses idées au hasard dans votre inconscient. Il ne tient aucunement compte des préjugés, des échecs ou de l'adversité. Le but est uniquement de rendre réels vos désirs les plus farfelus.

S'engager dans une activité de création peut donner lieu à une véritable transformation intérieure. Votre niveau de créativité vous assure d'avancer dans la vie. Le contraire, qui serait d'éviter d'envisager de nouvelles idées et d'explorer d'autres chemins, démontre une expression de tragédie ou de sclérose de l'esprit. Non seulement cette contrainte est-elle déplorable, mais aussi vous empêche-t-elle toute ascension personnelle. Votre liberté de créer n'est pas une simple destination ; c'est une façon différente d'avancer sur votre chemin. Cependant, il faut admettre l'idée suivante : qui dit créativité dit essais et erreurs. En effet, se tromper, faire des erreurs, se cogner le nez, essuyer la critique, tous ces types de résultats intermédiaires font partie intégrante de la créativité.

L'un des obstacles majeurs au progrès des idées est sans doute notre tendance naturelle à nous cantonner dans le connu, à figer devant les obstacles et à présumer qu'un beau jour ils vont disparaître. Ce réflexe, bien qu'humain, nous prive pourtant d'une quantité incroyable de solutions non exploitées. Seul l'Être Suprême ne fait jamais d'erreurs. C'est pourquoi il est Dieu. Les gens créatifs sont des innovateurs et des « créateurs humains ». Nous sommes nés pour créer, concevoir, imaginer, inventer, explorer et faire des erreurs. Beaucoup d'erreurs !

On en retrouve un exemple concret chez l'un des plus grands inventeurs, un Américain, monsieur Thomas Edison. On doit à ce dernier au-delà de trente inventions, dont le motographe, la génératrice, le phonographe et la caméra cinématographique. Monsieur Edison a effectué plus de 50 000 tentatives avant de parvenir à la fabrication de la batterie. Devant tant d'échecs et d'efforts pour matérialiser son rêve, il ne s'est pas avoué vaincu et a affirmé à l'un de ses associés : « Maintenant, je sais exactement ce qui ne fonctionne pas. Il ne me reste qu'à modifier certaines petites choses pour que ça fonctionne. » Il est évident que la raison peut vous avertir de ce qu'il faut éviter, mais votre créativité vous dicte ce qu'il faut faire pour réussir.

Demeurez toujours conscient que l'humain n'est pas parfait et que les erreurs font partie de l'équation en matière de créativité. Quand on parle créativité, on doit accepter au départ la forte probabilité que ça ne fonctionne pas. Dans ce cas, vous admettez que vous n'êtes pas Dieu et que faire des erreurs est tout à fait humain. Éviter de changer ses rêves ou de les poursuivre par crainte d'échouer est triste et malheureux. Cette mentalité de peur, voire de mépris, aurait privé le monde de toutes ces inventions qui n'auraient jamais pu voir le jour. Les gens auraient des tiroirs pleins de concepts, d'idées et de pensées non concrétisés par peur d'un résultat caduc. Au contraire, un échec confirme seulement qu'il vous manque un ingrédient ou un autre petit changement pour réussir. Votre créativité repère les façons qui vous permettront d'atteindre un résultat déterminé, mais vous mène rarement à une résolution absolue dès la première tentative.

Si soulever des montagnes vous semble un obstacle colossal ou gigantesque, utilisez votre créativité afin de creuser un tunnel, construire une autoroute, faire de l'escalade, utilisez de la dynamite ou prenez des cours de pilotage. L'imagination ne requiert aucun diplôme universitaire. Elle vous demande seulement de ne jamais vous priver de penser, de réfléchir ou de construire votre propre vision de la réalité. Ne vous arrêtez jamais devant un obstacle en vous répétant : « C'est impossible », « Jamais je n'y arriverai », « Qu'est-ce que je vais faire ? » Si mentalement vous avez déjà pris cette décision d'abdiquer consciemment ou inconsciemment, jamais vous n'y arriverez. Jamais !

Devant une telle réflexion caduque, vous êtes votre pire ennemi face à vos propres obstacles. Le manque de créativité devient alors votre pire handicap dans votre tentative de rendre vos aspirations concrètes et plus fructueuses. Vous pouvez toujours attendre la nuit en souhaitant que la noirceur cachera la montagne. Mais, dès le lever du soleil, cette dernière va toujours réapparaître devant vos yeux.

Maintenant, vous devez passer en mode action et vous exprimer sans aucune retenue ni timidité. Vous devez vous poser la question suivante : « De quelle façon est-ce qu'une personne brillante et innovatrice comme moi peut-elle s'empêcher ainsi d'avancer ? » Au lieu de trouver les raisons logiques et rationnelles pour fuir une idée qui vous prive de la réussite, trouvez les raisons qui vous motivent à réussir. Vous retrouverez non seulement de l'énergie et de l'enthousiasme, mais aussi un déblocage d'idées qui pousseront vos inspirations à découvrir des solutions. Trois mots résument bien la magie de votre créativité : *Tentez ! Osez ! Risquez !*

Dans un sac de golf, on trouve un type de bâton assez bizarre : le *Sand Wedge*. Ce bâton est principalement utilisé pour sortir une balle d'une trappe de sable. Sa principale fonction est d'aller sous la balle et de produire un impact fluide et doux. Le but est de soulever la balle le plus rapidement possible sur la distance la plus courte possible. Monsieur Gene Sarazen, une légende du golf, a trouvé l'idée en 1931 et, curieusement, c'est à la suite d'un cours de pilotage avec Howard Hughes. Ce dernier lui a expliqué le fonctionnement d'une hélice d'avion et la façon dont elle tranchait l'air d'un certain angle pour faire augmenter la puissance de l'avion très rapidement. Cette information technique a inspiré monsieur Sarazen à mettre au point le merveilleux bâton de golf dont on a parlé. Comme tout golfeur sur un parcours, vous allez parfois rencontrer des obstacles en affaires ou dans votre vie personnelle, mais la clé est dans la recherche de solutions créatives pour vous sortir d'une position déplaisante, des solutions qui vous permettront de vous remettre dans le jeu !

Votre créativité et votre courage d'agir ne devront jamais se regarder mutuellement, mais plutôt regarder tous les deux dans une même direction. C'est votre créativité qui vous permettra de transformer en défis extraordinaires les obstacles pour vous élever au-dessus de murs qui vous semblent insurmontables. Elle vous ouvrira de nouvelles portes donnant accès à des solutions novatrices, agréables, et libérera vos capacités à soulever des montagnes.

13

Les inspirations

C'est dans les rêves que loge l'inspiration,
la graine des chefs-d'œuvre de l'humanité.

MICHELINE LA FRANCE

Il y a en vous l'appétit d'admirer ceux et celles qui vous surpassent, qui franchissent des barrières ou dépassent des limites : ces gens semblent vous projeter avec eux vers le sommet. On porte à bout de bras les champions qui nous font vibrer et on parle quotidiennement de leurs réalisations.

Nous regardons avec admiration et inspiration les grands artistes, les athlètes, les gens d'affaires ou les savants. Leurs succès nous émerveillent et nous fascinent. Il en va de même pour votre propre vie et vos propres aspirations. Vous devez observer ceux qui vous précèdent. Tous les gagnants sont d'une énorme générosité par leurs rôles et leurs qualités de leader. Sur leur chemin, ils ont laissé derrière eux beaucoup d'empreintes, de renseignements, de décisions et d'attitudes. Ils ont tracé des sillons de succès.

Ces gens attirent votre curiosité et méritent votre respect. Vos modèles sont capables de vous inspirer, de vous stimuler et d'allumer votre passion. Les gagnants vous enflamment et vous incitent à vous dépasser par leurs actions ; ce sont des modèles de réussite. Je vous demande de ne jamais vous laisser guider uniquement par leurs croyances, leur courage et leur exemple, mais de vous efforcer de démontrer vos propres habiletés et de suivre leurs démarches vers la réussite. Sachez que tout ce que ces gens ont accompli d'extraordinaire, ils l'ont fait avec le désir ou l'inspiration de concrétiser un de leurs rêves.

Tous les bâtisseurs du succès avaient plusieurs choses en commun. Ils avaient tous des rêves, une foi inébranlable et une détermination sans équivoque. Sans conteste, leurs désirs de réussir n'ont jamais permis la pose des barrières ni admis quelque incapacité à leur réussite. Ces personnes se sont permis d'aller de l'avant, enchantées de produire et de pouvoir réaliser concrètement leurs intentions premières. Elles n'ont jamais osé mettre leur potentiel de réussite en péril.

Vous aussi, vous devez cheminer dans cette direction de gagnant. Vous devez vous engager dans la réalisation de vos propres inspirations. Votre attitude positive et vos actions sont des affirmations qui vous invitent, à tout coup, à matérialiser vos rêves et à être entièrement dévoué à votre capacité de réussir.

Vos inspirations doivent être comme des lumières qui vous attirent constamment et guident vos actions. Les inspirations sont une énergie immaculée qui libère un sourire de votre âme. Elles dégagent vos pensées et vous poussent à produire un résultat. Soyez vous-même une personne de conviction, d'actions et d'inspiration pour les autres. La vraie réussite d'un gagnant se trouve dans l'héritage qu'il laisse derrière lui par ses accomplissements et son désir de se surpasser. Ne doutez jamais de votre capacité et n'ayez pas peur de faire parfois un pas de géant si votre processus d'avancement l'exige. On ne franchit jamais un précipice en ne faisant que deux petits sauts. Il faut accepter de voir grand et admettre que tout est possible.

Votre foi en vous augmente vos chances de réussir. Alors qu'on le questionnait sur la chance, monsieur Ben Hogan, un des meilleurs golfeurs de tous les temps a répondu : « Vous savez, je remarque que plus je pratique, plus je deviens chanceux. » Son message est très clair. Plus vous mettrez d'efforts pour vous améliorer, plus vous augmenterez vos chances de réussir. Dans la réussite, la chance n'a rien à voir avec le talent, mais il faut du talent pour être chanceux. La foi que vous avez en vous peut vous amener jusqu'à un certain point, mais vos efforts quotidiens augmenteront votre puissance et multiplieront les occasions de réussir ce qui vous semblait impossible.

Le doute et la peur font souvent en sorte qu'on réalise pleinement l'ampleur de la bataille à livrer et qu'on prend conscience de ses limites. Ce processus décourage les faibles, qui laissent (consciemment ou non) leur estime de soi dans l'oubli. C'est alors qu'ils commencent à se répéter : « À quoi bon ? », « Qu'est-ce que ça change ? », « Pourquoi continuer ? » C'est précisément à ce moment qu'ils doivent empêcher le doute et l'incertitude de s'installer dans leur inconscient. Un rêve ne doit jamais être éteint ni détruit. Le doute est une forme d'amputation de l'esprit qui enlève toute croyance et tout goût de combattre. Soyez non seulement un modèle de détermination, d'action et de volonté, mais faites tous les efforts pour vous démontrer à vous-même votre propre conviction. Posez-vous une seule question : « Est-ce que j'ai tout fait pour réussir ? absolument tout ? »

À l'instar d'une pendule, il vous faut être constant dans vos actions. Vous devez avoir le sens du dévouement et une vision claire de votre objectif ultime. Vous devez aussi vous engager formellement à poursuivre cette vision jusqu'à son terme. On ne quitte pas un enfant malade simplement parce que ça nous rend malheureux ou qu'on manque de ressources. Au contraire, on tente par tous les moyens de le sécuriser, de l'envelopper d'amour et de le rassurer. Faites de même avec vos propres ambitions, et votre succès sera en bien meilleure santé.

Vos inspirations doivent remplir votre esprit, et votre confiance doit envahir vos pensées. L'attitude motivant vos gestes doit être solidement unie à ces derniers pour qu'aucune adversité ne puisse ouvrir une brèche. Votre volonté entraîne le dépassement et fait fuir toute incertitude. Afin de réussir, vous devez envisager clairement votre résultat comme le centre de votre univers. L'inspiration vous empêche de remettre à plus tard cette énergie pure qui vous pousse sans cesse dans une direction déterminée. Vos désirs entretiennent continuellement les inspirations qui cohabitent avec votre capacité de création, de découverte et de réalisation. L'inspiration vous aide à redéfinir votre situation actuelle pour l'améliorer, la corriger, la modifier, ou pour transformer une pensée en réalité.

Vos inspirations forment une forteresse imbattable et indestructible. Elles résistent à l'abandon et aux catastrophes. Lors de la rédaction de ce livre, beaucoup de gens m'ont demandé d'où me viennent mes inspirations. Évidemment, elles ne viennent pas toutes seules. Elles sont stimulées par ma volonté de réussir, mon attitude positive et ma passion à vouloir motiver les gens. Or, par-dessus tout, mes inspirations proviennent souvent de ressources extérieures qui influencent mes idées, mes comportements et mon sens de l'observation. Je suis inspiré par un sourire, un mot ou un regard. Il y a une personne en particulier qui m'apporte de la lucidité, du discernement et de la combativité. Plus que tout, mon épouse m'inspire par sa simplicité et son humilité. Cette femme voit au-delà des situations; elle prévient ainsi les obstacles avec beaucoup de précision et elle trouve souvent des réponses avec une facilité si exaltante qu'elle m'impressionne et m'étonne tous les jours. Cette phrase d'Henry Miller traduit bien mon admiration pour Louise et l'inspiration qu'elle est pour moi : « Certains sentent la pluie à l'avance et d'autres attendent d'être mouillés avant d'agir. »

Trouvez-vous des modèles de réussite qui vous inspirent et reproduisez leurs actions quelles qu'elles soient. Ces gens qui vous ont laissé une image précise et rassurante vous confirment que, vous aussi, vous pouvez dominer vos craintes et suivre en toute liberté vos inspirations. Inspirez-vous de chaque événement de votre vie et agissez, ce qui changera votre prospérité. Les jeunes ont de grandes inspirations qu'ils ne réalisent jamais et les aînés ont de courtes explications pour justifier ce qu'ils n'ont jamais accompli. Vous inspirations sont votre avenir. Allez ! Il est temps d'y investir pour pouvoir agir.

14

La visualisation

On ne devient pas champion dans un gymnase. On devient champion grâce à ce qu'on ressent : un désir, un rêve, une vision.

MOHAMMED ALI

La visualisation est une aventure d'imagerie mentale qui vous ouvre toutes grandes les portes du mieux-être. Cette démarche vous offre un contexte favorable et permet à vos désirs de se matérialiser dans votre esprit. L'imagerie mentale transporte toute forme de rêve, de la simple détente à un combat contre une maladie en passant par un exploit sportif ou la réussite à surmonter une peur. La visualisation pousse les gagnants à faire surgir dans leur esprit des images, des objets, des sons, des situations, des émotions ou des sensations. Bref, la visualisation est l'art d'utiliser l'image mentale et l'affirmation pour produire des changements ou amorcer des actions qui seront positifs dans la vie.

La visualisation peut vous aider à soulever des montagnes ou à réaliser vos rêves. Elle a pour fonction de déclencher des effets physiologiques comme le ferait la réalité. Toute visualisation est une affirmation de vos désirs inconscients. Par exemple, si vous pensez que vous êtes dans un spa avec le reflet de la pleine lune sur la mer, cette seule pensée magique plongera votre corps dans un état de détente et de calme. Au contraire, si vous vous imaginez en train de mordre à pleines dents dans un quartier de citron, le jus coulant de votre bouche, il est fort possible que vous ayez une réaction physiologique provoquée par la forte acidité du fruit. L'idée principale de la visualisation est de recourir à l'intelligence de l'inconscient, à la capacité de l'organisme, à la connaissance de ce qu'il vit et de ce qui est bon pour lui.

Le processus de la visualisation est essentiel à la réussite. Votre subconscient programme votre existence et la perception que vous avez de votre propre réalité. L'imagerie mentale est un outil extrêmement puissant et décisif. Faire appel à la visualisation, c'est reconnaître qu'une partie du travail est déjà faite sans effort de votre part. La pensée subconsciente est un outil incroyable, car elle ne juge pas et n'impose aucune limite à vos intentions. Au contraire, elle exécute tout bonnement les ordres qu'elle reçoit de votre pensée. Si vous pensez à une situation positive au déroulement heureux et que vous la visualisez régulièrement en détail, vous allez transmettre un ordre à votre subconscient. Une fois que vous lui aurez exposé vos rêves et indiqué une direction précise, votre subconscient se chargera de trouver une façon de vous faire vivre ces situations positives dans votre vie.

À cause de l'ampleur et de la magnitude de votre subconscient, la visualisation détient une capacité illimitée pour retenir de l'information, des situations et des événements. C'est à cause de cette puissance incroyable que vous devez toujours garder à l'esprit uniquement des pensées agréables, plaisantes, drôles, amusantes ou positives. En 1970, le docteur Carl Simonton, cancérologue américain, a popularisé l'usage de la visualisation à des fins thérapeutiques. Le docteur était intrigué par le fait que, malgré un diagnostic identique, certains patients mouraient et d'autres pas. Il a observé l'attitude de ses patients et constaté notamment que ceux qui guérissaient étaient des combattants capables de se persuader eux-mêmes qu'ils pouvaient guérir. Ces gens se voyaient marcher, danser, avoir du plaisir, aller en vacances ou être auprès des gens qu'ils aimaient.

Votre visualisation augmente considérablement vos chances qu'un désir se réalise, qu'il soit positif ou négatif. Martin Brodeur, l'un des meilleurs gardiens au hockey, a gagné plusieurs fois la coupe Stanley, le trophée pour le meilleur gardien, une médaille d'or aux Olympiques de Salt Lake City et la Coupe du Monde. Lors d'une entrevue, un journaliste lui a demandé à quoi il rêvait le soir. Martin a simplement répondu « Au hockey. » Surpris, le journaliste a rétorqué : « Mais vous êtes le meilleur gardien de but du monde et vous rêvez au hockey ! » Martin a repris : « Bien sûr ! Depuis que je suis très jeune, je ne rêve qu'au hockey. Je me vois faire des arrêts, changer ma technique, faire la différence dans une partie et gagner la coupe Stanley. Peut-être que mes rêves me permettent de vivre ces moments. Une chose est sûre : je ne suis jamais surpris après un match et j'évite de faire des mauvais rêves ! »

Évidemment, la visualisation vous offre l'occasion de prédire votre avenir. Elle glorifie vos capacités et habiletés à réussir. Malgré l'envergure de la visualisation, votre esprit oriente certains paramètres qui sont conformes à vos valeurs et à vos principes. L'imagerie mentale s'aventure rarement dans un territoire où vous vous sentiriez mal à l'aise ou dans un scénario qui contredirait vos principes. Il ne faut pas mélanger visualisation et cauchemar. La simplicité de votre visualisation sait réduire les gros obstacles en plusieurs petits. L'imagerie mentale rend le processus de réussite simple et accessible.

Jim Carey est actuellement un des acteurs d'Hollywood les mieux rémunérés. Très tôt dans sa vie, il a fait montre d'un sens de l'humour prononcé en se produisant régulièrement devant ses camarades de classe. Cependant, ce jeune homme agité de Newmarket en Ontario était extrêmement pauvre et vivait dans une vieille voiture avec ses parents. Il devait faire face à la misère et a dû travailler très jeune pour subvenir aux besoins essentiels de la vie. Malgré son jeune âge, il travaillait après l'école en tant qu'agent de sécurité. En 1970, vers l'âge de 12 ans, Jim s'est lancé dans la comédie et a fait des imitations dans les cabarets du quartier. En 1985, il a décroché sa première apparition au grand écran dans le film *Séduction à pleines dents*. En 1994, sa carrière a pris un virage concluant avec la sortie de trois films qui mettaient en valeur ses grands talents d'acteur et de comique.

Après l'immense succès de ses films, plusieurs producteurs lui ont offert de merveilleux rôles et des montants d'argent absolument extravagants pour qu'il soit dans leurs prochains films. Ayant atteint le statut de vedette, il a passé une entrevue avec Jay Leno, l'animateur du *Tonight Show*. Lors de cette émission, il a sorti de son portefeuille un vieux morceau de papier plié en quatre. C'était un chèque au montant de un million de dollars qu'il s'était fait lui-même à son nom lorsqu'il était pauvre. Jim a mentionné que, depuis son enfance, il regardait le chèque tous les soirs et se voyait aller à la banque pour l'encaisser. Il n'avait aucun doute que ce jour arriverait et que son rêve de richesse et de reconnaissance arriverait. Il avait une vision claire de sa réalité.

Devant chaque action importante et subjective, votre subconscient agit et vous rend son verdict dans des mots tels que « Il est évident que tu vas l'obtenir» ou «Tu est le maître de ta destinée», ou encore «Tu peux soulever des montagnes». Vous pouvez imaginer la situation, le lieu, l'heure, l'endroit, les personnes, ou les étapes telles qu'elles doivent se dérouler et avoir une idée des difficultés à surmonter. Répéter de façon intensive l'exercice de l'imagerie mentale aura un effet sur votre attitude et sur votre comportement.

L'impact de la visualisation est très réel et vigoureux. Plusieurs études ont démontré et conclu que l'imagerie mentale aide à réduire le stress, l'anxiété, l'insomnie, et qu'elle peut même atténuer la douleur. Avec la visualisation, vous pouvez limiter d'une façon marquée les effets secondaires et indésirables comme les nausées, la dépression, la colère et l'impression d'impuissance. Cependant, pour réaliser votre propre vision et changer votre réalité, vous devez avoir une confiance absolue en vos capacités à concrétiser vos rêves.

Délogez le doute et le négativisme de votre esprit. Les messages négatifs sont des messages de mort à votre âme de guerrier. Enlevez de votre vocabulaire tous les mots ou toutes les paroles qui peuvent détruire vos rêves. Engagez-vous à le faire immédiatement. Acceptez le fait que vous ayez toujours accès à votre foi, à vos ressources, à votre créativité et à la visualisation pour augmenter votre mieux-être. Ne croyez pas que les occasions de réussir ne frapperont à votre porte qu'une seule fois dans votre vie. Détrompez-vous ! Elles ne cessent jamais de vouloir s'introduire dans votre conscient ou votre subconscient. Vos rêves et vos visions de réussir l'impossible ne sont pas des accidents de parcours. Il existe une raison pour laquelle vous devez vivre le succès et l'abondance. Est-ce que je dois vraiment vous la mentionner ? Je dirai simplement ceci : « Acceptez que vous méritez le succès, l'abondance et le bien-être. » Les victimes cherchent toujours le succès au loin, mais les gagnants le cultivent devant leurs pieds. Le temps est venu de cultiver et de faire vos premiers pas vers le succès.

15

Le respect

Si chaque pas posé sur la terre est une prière, alors vous progresserez toujours dans le respect du sacré.

CHARMAINE WHITE FACE

Sans respect de soi-même et d'autrui, il n'y a pas de vraie réussite. C'est aussi simple que ça. S'offrir du respect à soi-même témoigne de son degré de dignité et d'honneur envers ses propres capacités et attitudes. On dit que le respect est la considération, sans contrainte, que l'on porte à une personne que l'on juge bonne. Devant cette affirmation, je vous demande ceci : « Êtes-vous une bonne personne ? Forcez-vous vos actions ou affirmations ? Méritez-vous votre propre respect ? »

Chaque réussite implique un investissement d'actions et de choix. Il faut continuellement investir et faire des dépôts dans ses propres valeurs et les faire fructifier. Il faut y mettre de son temps, persévérer, poursuivre sa vision et s'appliquer avec passion et courage. Chaque étape doit être faite avec un respect de soi-même, de ses limites, de ses forces et de sa puissance physique et mentale.

Pour tenir compte de nos propres capacités, nous devons leur témoigner toute notre attention. Il nous faut accepter nos forces ainsi que nos limites. Connaître sa véritable puissance intérieure consiste à bien réfléchir à toutes les étapes à franchir pour y arriver. Si vous ne respectez pas vos propres qualités ou si vous exagérez votre dynamisme, vous allez creuser un sillon d'obsession et de domination autour de vous. Avec le temps, cela engendrera inévitablement en vous de la colère, de la dépression, de l'angoisse, de l'appréhension et un sentiment de négation et d'échec.

Votre respect invite votre volonté à réussir sans jamais perdre de vue vos propres standards d'excellence. Le respect vous incitera à être juste, honnête, intègre et loyal envers votre estime personnelle et votre esprit de compétition. Faire preuve de respect, c'est atteindre ses buts selon ses propres valeurs éthiques et morales. Vous ne devez jamais oublier que la réussite est une étape agréable englobant vos efforts et votre contribution personnelle. Ce jeu doit être ouvert, plaisant et honorable pour que vous-même y participiez activement. Lorsqu'on parle de respect, on évite la vengeance, la réprimande et le châtiment. Le manque de considération rend la vie désagréable, et le sentiment de riposte va vous gruger de l'intérieur petit à petit tous les jours. Passez à autre chose et laissez ces émotions négatives derrière vous.

Le respect d'autrui se gagne par ses propres gestes, attitudes et comportements envers l'autre. Lors d'un cours à de futures infirmières, un professeur a décidé de donner un examen surprise. Dans la classe, il y avait madame Joanne Jones qui en était à son deuxième mois de formation. Elle était une élève modèle et très consciencieuse. Elle avait rapidement complété le questionnaire jusqu'au moment de lire la dernière question : « Quel est le prénom de la femme qui fait l'entretien dans l'école ? » Madame Jones croyait vraiment qu'il s'agissait d'une farce. Elle avait plusieurs fois remarqué la dame qui faisait le ménage et l'entretien dans la salle de classe. C'était une grande dame aux cheveux noirs, dans la cinquantaine. Mais comment pouvait-elle connaître son nom ? Elle a remis sa copie sans répondre à la dernière question. Avant la fin du cours, une élève a demandé au professeur si la dernière question comptait pour des points. « Absolument ! a répliqué le professeur. Durant votre carrière, vous allez rencontrer beaucoup de personnes. Chaque être est humain et distinctif. Il mérite votre attention et votre respect, même si cela vous demande simplement de sourire ou de dire bonjour. » Madame Jones n'a jamais oublié cette question. Elle a par la suite appris que la dame de ménage s'appelait Dorothy.

En somme, le respect est une pièce du succès à ne jamais négliger tout au long du chemin qui mène à la réussite. Grâce à lui, vous parviendrez plus rapidement à un résultat favorable et gratifiant puisque vous vous serez traité avec égard. Il vous sera difficile de réussir et d'obtenir la reconnaissance du succès si vous n'avez pas obtenu le respect de vos semblables.

Voici l'histoire du père qui prenait une marche avec son fils dans les montagnes. Soudainement, le fils perd pied et, hurlant de douleur, s'écrie « AAAhhhhh ! » À sa grande surprise, il entend une voix dans la montagne répéter le même cri : « AAAhhhhh ! » Curieux, il répète : « Qui es-tu ? » Il reçoit la même question en guise de réponse : « Qui es-tu ? » Le jeune garçon commence à être agacé par les réponses et lance un autre cri : « Peureux ! Tu es un peureux ! » Et il reçoit la même affirmation : « Peureux ! Tu es un peureux ! » Il regarde son père et chuchote : « Qu'est-ce qui arrive ? ». Son père sourit et dit : « Mon fils, écoute attentivement. » Et là, le père crie le plus fort possible : « Je vous admire ! » Et la voix lui revient : « Je vous admire ! » Encore une fois, le père crie : « Tu es un champion ! » Aussitôt la voix revient : « Tu es un champion ! » Le garçon est surpris, mais ne comprend pas encore le phénomène. Le père explique : « Ceci est un écho, une forme de réplique immédiate de ta voix. Mais en réalité, c'est la vie. Elle va toujours te redonner ce que tu lui dis et ce que tu fais. La vie est un miroir de tes paroles, de tes gestes et de tes actes. Si tu désires plus d'amour, donne de l'amour. Si tu désires plus de joie, d'encouragement et de respect, tu dois semer la joie, encourager les autres et respecter les gens autour de toi. Si tu désires plus de compétence dans ton équipe, offre le meilleur de toi-même. Ce principe s'applique dans toutes les sphères de ta vie. Souviens-toi, mon fils, que la vie va toujours te remettre ce que, toi, tu lui donnes. Ta vie n'est pas une coïncidence, mais un reflet de toi-même. » Bref, si vous désirez du respect qui engendre l'encouragement, la confiance et la tolérance, soyez respectueux. Avec du respect, vos résultats et vos efforts seront d'autant plus enviables et récompensés.

Vivez comme vous le souhaitez et vous obtiendrez en retour ce que vous souhaitez.

Troisième partie

16

Les outils de « destruction massive »

L'échec est le fondement de la réussite.

LAO-TSEU

Il est inutile de vous en faire accroire : votre vie actuelle est exactement celle que vous désirez inconsciemment. Personne d'autre que vous-même n'est garant de vos succès ou de vos déboires. Acceptez le fait que certaines expériences sont plus difficiles que d'autres et qu'elles font partie de la vie humaine. La seule différence entre un gagnant et un perdant réside dans la façon d'accepter une épreuve et d'y réagir. Le gagnant est capable de devenir un sage guerrier et de vivre l'expérience positivement en changeant des choses, alors que le perdant s'immobilise et choisit de devenir un martyr, épargnant ainsi sa dignité.

Les réactions négatives devant les échecs sont malsaines et destructives. Soyez assuré qu'elles ne sont pas naturelles ni innées. Ce sont des émotions qui vous sont propres. Vous y avez consenti et vous en êtes entièrement responsable. Ces façons dont vous réagissez ont été acquises par vos attitudes. Qui n'a pas entendu « Je crois que ça ne marchera jamais ! », « Tu dois être malade de penser que ça va fonctionner ! », « J'ai une peur bleue ! », « J'ai une peur noire ! ». Je ne savais pas que la peur avait une couleur ! Mais de toute façon ne vous laissez jamais décourager devant l'adversité. Vous pouvez aisément soigner tous vos maux de tête, atténuer la pression de réussir ou surmonter toutes les embûches. Oui, le remède existe. Dès que le premier signe de négativisme ou d'abandon pointe à l'horizon, vous n'avez qu'à croire que vous pouvez le vaincre et à poursuivre votre chemin. C'est tout !

Acceptez que chaque nouvelle journée vous offre des occasions de vous réaliser et de vous surpasser. L'imagination, qui est la source de toutes vos peurs et angoisses, peut aussi bien être votre meilleure alliée pour vaincre les outils de « destruction massive ». Si votre imagination paralyse vos actions et crée des situations de peur ou de crainte, n'est-il pas temps de l'utiliser pour vous libérer ? Vous devez vous servir de votre force d'imagination avec foi, persévérance et passion afin d'être capable de poursuivre votre chemin.

Chaque fois qu'on parle de passion, on parle de succès mesurable. On parle de ce désir de connaître la satisfaction et l'épanouissement devant les actes qu'on fait et les efforts qu'on fournit. La passion est une attitude positive qui dégage une assurance, un intérêt et une liberté de choix. Lors de la toute première remise de prix à la personne la plus influente auprès des adolescents, le *Teen Idol Awards*, le comédien canadien Mike Myers, qui interprétait le rôle d'Austin Powers, a dit : « Le seul conseil que je puisse vous donner est de ne jamais lâcher ! C'est la clé de tout succès. Ne laissez personne détruire vos rêves. Poursuivez votre chemin et ne regardez jamais en arrière ! »

L'une des meilleures façons d'essuyer un échec et d'ouvrir la porte à la déprime est de commencer un projet et de ne jamais le finir. En tant qu'observateur, on se sent mal pour les personnes qui ne réussissent jamais ce qu'elles entreprennent. Vous devez cependant éviter le piège de la compassion et agir selon vos propres rêves et aspirations. Trop souvent, ce n'est pas la peur d'entreprendre un rêve qui vous freine, c'est plutôt la peur de réussir. Un exemple : ma propre peur devant la réussite. Aujourd'hui, je suis l'auteur de deux livres et un conférencier international. De plus, je donne des sessions de formation partout en Amérique du Nord. À une certaine époque, lorsque mes trois enfants étaient jeunes, j'avais consciemment décidé de ne pas écrire de livres, de ne pas faire de publicité et de restreindre mes engagements personnels en raison de mon anxiété et de ma peur d'être éloigné de la maison. J'avais peur de réussir.

J'avais peur d'écrire un livre, d'avoir un site Internet et que ça fonctionne. Inévitablement, ça voulait dire que si le livre devenait un *best-seller*, les demandes de formation ou de conférences pourraient augmenter. À ce moment-là de ma vie, j'avais très envie d'être disponible à la maison et non d'être continuellement sur la route. Ma peur de l'éloignement me démotivait. Mon besoin d'être avec ma famille était plus grand que mon besoin de reconnaissance et mes besoins monétaires. À long terme, je planifiais que lorsque les enfants seraient plus grands et que mon épouse aurait la liberté de m'accompagner, je mettrais tous les efforts nécessaires pour vivre ce rêve. Vous avez présentement entre les mains mon troisième livre en quatre ans ! Je partirai bientôt en Europe avec Louise pour la cinquième fois à des sessions de formation et des séances de signature de livres. Si vous voulez en savoir d'avantage, je vous invite cordialement à visiter mon site www.guycabana.ca. Vous y êtes le bienvenu.

Que nous le voulions ou pas, nous vivons dans une société qui nous incite à nous questionner constamment sur ce qui est réalisable et ce qui est impossible. Alors, tant et aussi longtemps que vous ne vous interrogerez pas sur vos désirs les plus profonds et votre comportement face a l'adversité, vous ne changerez rien. Si vous ne portez pas en vous le désir brûlant de faire avancer les choses, vos rêves vont disparaître et les occasions de réussir seront disponibles et récupérées par d'autres personnes. Lorsque nous laissons nos émotions nous guider et prendre le dessus, nous obtenons souvent un résultat négatif. Sans le savoir, vous allez introduire subtilement le doute et la crainte du ridicule, ou la peur d'échouer. Votre attitude et votre comportement seront affectés et vous serez désorienté. Vous ne saurez plus alors comment agir devant la moindre épreuve.

Éviter de vivre dans le passé est primordial pour libérer son esprit de toute peur et de toute crainte. Cette attitude est tellement importante que nous allons y revenir plus tard. Si vous appréhendez quelque chose de néfaste pendant assez longtemps pour vous convaincre vous-même, vous allez inévitablement aider cette situation à naître et à se manifester physiquement et mentalement. Si vous déployez assez d'énergie et que vous consacrez assez de temps à créer un obstacle irréel dans votre imaginaire, la situation appréhendée va prendre forme et se produire. Votre conscience peut facilement prêter des conditions favorables à sa réalisation, car vous entretenez l'atmosphère par laquelle vos peurs et anxiétés vont prendre vie. Vous allez créer, attirer et provoquer le malheur par votre propre imagination. Vivre dans la crainte de l'inconnu est aussi paradoxal que d'avoir peur de se faire mal en marchant sur son ombre. Il est temps de regarder devant positivement et de réaliser que rien n'est impossible aux gens qui croient en eux-mêmes.

Si vous désirez une pleine liberté dans votre vie, vous devez effacer vos peurs et donner une raison rationnelle à vos empêchements quand il s'agit de réaliser vos rêves. L'appréhension du malheur est un poison presque mortel qui détruit votre estime de soi et vos ambitions. C'est une demi-paralysie pour votre âme et cela laisse votre esprit dans le brouillard. La vraie peur vous avertit de la présence réelle et imminente d'une menace ou d'un danger. Mais faites attention ! On ne doit jamais foncer tête première dans une aventure qui est nettement au-delà de ses forces. On doit prendre les précautions nécessaires pour minimiser les pièges et les dangers. Il faut regarder la situation avec lucidité, ainsi que tous les éléments possibles pour réussir. Une prescription pour vivre le succès exclut la peur ; cette dernière, qui n'est qu'une perception de la réalité, n'est pas forcément réaliste ou objective. Contrôler ses craintes, c'est s'offrir à soi-même une autonomie et une liberté de réalisation. Le grand Winston Churchill a déjà dit : « Le succès, c'est d'aller d'échec en échec sans jamais perdre son enthousiasme. » Je vous offre un court poème qui m'inspire beaucoup.

« Tomber, c'est humain,
Se relever, c'est divin.
Rester couché, c'est sans dessein. »

Êtes-vous un sans-dessein ? Je n'y crois pas un instant. Il est normal de tomber, de chuter, de se tromper et de faire des erreurs. Après tout, vous êtes humain. *N'oubliez jamais que vos échecs sont souvent la levure de vos succès à venir.* Dans une batterie, on trouve toujours un pôle négatif et un pôle positif. Si vous n'avez que deux pôles positifs ou deux pôles négatifs, vous ne pourrez jamais faire démarrer votre véhicule.

Nous agissons souvent de manière répétitive, selon nos habitudes et coutumes. Ainsi, toutes vos peurs, vos échecs ou même vos succès ne proviennent pas nécessairement d'une forme d'attitude particulière, mais plutôt d'une habitude acquise. Dans la vie, on trouve principalement six raisons qui empêchent les gens d'avancer ou de réussir, que ce soit sur le plan personnel ou le plan professionnel. Les voici :

La peur

La paresse

L'indifférence

L'égoïsme

L'habitude de vivre dans le passé

Le découragement

Vous avez tort de croire que les échecs représentent une forme de faiblesse incontournable. Au contraire, vous devez tirer des leçons positives et entreprendre vos prochaines démarches avec vigueur et acharnement. La célèbre animatrice de télévision américaine Oprah Winfrey a déjà raconté candidement qu'elle n'avait jamais subi d'échecs dans sa vie. Pour elle, les échecs n'existent pas. Il n'y a que des leçons « épouvantables ». Vos échecs sont attribuables à votre vision d'une situation et à l'acceptation du résultat. Si vous désirez absolument croire que seul un fou peut vivre un échec, je peux vous garantir que, dans un jeu d'échecs, les fous sont toujours situés le plus près du roi ! Pensez-y !

17

La peur

On a assez remarqué que la peur est plus grande de loin et diminue quand on approche.

ALAIN

La peur est l'une des principales sources qui vous font abandonner ou laisser en plan vos rêves. Entre autres, elle est à l'origine de l'échec : elle paralyse la raison, détruit l'imagination, étouffe l'estime de soi, mine l'enthousiasme, décourage l'initiative et pousse continuellement à l'hésitation. La peur anéantit la volonté, enlève toute ambition et paralyse la capacité à réussir. Croyez-vous au Bonhomme Sept Heures ? Croyez-vous que l'horrible Freddy existe vraiment ? Croyez-vous à la sorcière dans *Cendrillon* ? La peur est seulement une émotion naturelle d'anticipation et d'imagination. Ce n'est rien d'autre qu'une perception de ce qui peut exister dans votre imaginaire ! Nombre de recherches confirment que la peur amène toute cette confusion et ce ravage émotionnel pour une seule image ou pensée irréelle, inventée,incomplète et imprécise. C'est comme regarder une photo en noir et blanc et lui donner votre couleur.

La vraie peur prévient l'organisme d'une menace possible ou d'un danger potentiel. Comme chez les animaux, la peur nous avertit de nous préparer à agir ou réagir devant un danger réel et imminent. Le phénomène de peur se caractérise par une excitation physiologique ou une illusion qui change notre expression faciale, notre posture, nos gestes et nos actions. Ce n'est aucunement ce qui se produit réellement au moment où se présente le danger, mais ce que vous pensez qui surviendra dans un avenir plus ou moins rapproché. La peur peut ne s'installer que pour quelques secondes comme elle peut se prolonger des jours, même des semaines et des mois. Pour certains, elle peut être présente toute la vie.

Devant chaque événement de votre existence, vous aurez toujours une sensibilité réelle à chaque fraction d'information qui sera filtrée par votre cerveau. C'est votre perception, et non la réalité des choses, qui déclenche vos craintes, anxiétés ou inquiétudes. Votre imagination joue un rôle important dans la formation de cette perception. Elle vous invite à prendre ou non des mesures de protection. Or, la perception n'est pas forcément un outil de réalité et d'objectivité, même si elle produit une impression palpable.

Votre existence comportera toujours des situations ambiguës et incertaines. Vous allez vivre des hauts comme des bas. Ceci est une loi naturelle de la vie humaine. Vous aurez des moments d'enthousiasme et de déception, des moments de joie et de tristesse, des moments d'exaltation ou de profond chagrin. Dans cet immense inventaire d'émotions que vous vivrez, ne soyez jamais votre pire ennemi face à la vie. Devant la peur, la question n'est pas de savoir si l'on a peur ou non, mais de quelle façon dominer ses craintes et en tirer le meilleur parti possible. Soyez lucide et acceptez que vos peurs imaginaires sont toujours plus nombreuses que les dangers réels. On dirait que l'imagination est parfois programmée pour multiplier les effets négatifs afin d'ancrer en nous une conviction non fondée. La peur ressemble parfois à une loupe qui a la détestable habitude d'amplifier une épreuve. Elle rend n'importe quelle tâche impossible et enlève toute possibilité de trouver de l'énergie positive pour se sortir d'une situation inventée.

Selon les scientifiques, deux types de peur nous habitent. Il y a cette peur intense qui est généralement provoquée par un stimulus ou un événement extérieur tel que l'apparition soudaine d'une araignée ou le bruit d'une explosion. Puis, il y a la peur périodique, plus compliquée et sournoise dans notre inconscient, qui ne relève pas forcément de quelque chose de concret. Regardons la personne qui, sans raison, a peur de ne pas réussir. Quel que soit le type de peur, on y trouve toujours une forme quelconque de paralysie temporaire nous empêchant de faire le simple geste qui nous délivrerait de toute crainte.

Vous pouvez éviter vos peurs, les changer ou modifier votre attitude chaque fois qu'elles se présentent. L'opération mentale de la perception et de la construction d'une réalité repose principalement sur quatre principes : les faits, l'émotion, l'imaginaire et un jugement (ou une réaction).

La peur de ne plus avoir d'argent peut paraître irréaliste pour certains, mais celui qui a déjà manqué de travail ou a déjà vécu une certaine pauvreté pense toujours que cela peut se reproduire. Il s'imagine perdre son travail la semaine prochaine et devoir vendre sa maison. Avec cette peur, et quoique la prédiction de ce malheur ne se matérialise jamais, cette personne est toujours inquiète. En acceptant différemment ce genre de situation, vous pouvez changer votre perception et vos actions ou réactions. Adoptez un comportement qui va vous permettre d'agir et de penser d'une autre façon afin d'éviter que telle ou telle situation se produise. Analysez vos peurs et mettez de l'avant un plan de manière à éviter toute forme de pauvreté. Transformez la forme de vos attentes et misez sur votre capacité et votre raisonnement pour transformer votre peur en énergie positive.

En ce qui me concerne, mes parents n'étaient pas très riches. J'ai mangé plus souvent qu'à mon tour des tranches de pain avec du ketchup ou avec du sucre, car nous n'avions pas autre chose à nous mettre sous la dent. Depuis mon enfance, je me suis toujours promis que jamais mes enfants ne manqueront de nourriture à la maison. Lorsque je me suis marié, mon épouse et moi avions de la nourriture pour une armée ! Lorsque mon fils est né, j'étais mentalement prêt à lui fournir une ferme avec des poulets, des vaches, des cochons et une terre pour cultiver tous les fruits et légumes dont il aurait besoin, et ce, en quantité industrielle !

Ma peur était « alimentée » lorsque je pouvais voir la lumière dans le fond du réfrigérateur. Si je voyais cette lumière, c'est que je manquais de nourriture. Pour moi, cette peur était bien réelle. Un jour, mon épouse m'a demandé ceci : « Guy, est-ce que tu me fais confiance ? » Je lui ai répondu, « Évidemment ! » Et elle a poursuivi : « Penses-tu que je vais laisser notre enfant mourir de faim ? » Je suis resté bouche bée ! Bien sûr que je savais mon épouse incapable d'une telle atrocité ! Et puis elle a ajouté : « Sois sans crainte, il ne mangera pas de sandwichs au ketchup ni au sucre. » Depuis ce jour de délivrance, la lumière du frigo ne me dérange plus ! Mes énergies se sont déplacées vers des choses plus constructives, la confiance envers mon épouse a fleuri et ma perception d'un sandwich a beaucoup changé !

La peur est une énergie qui se nourrit de doute et d'hésitation. Comment expliquer qu'un acteur croit mourir et tremble de peur, sachant qu'il va faire une prestation devant un public ? Pourtant, dès son entrée sur scène, il guérit instantanément au premier mot qu'il prononce. On dirait qu'il ne pense alors plus à la peur qui l'habitait, mais à la raison de sa présence sur scène. C'est magique ! Les mots commencent à sortir par eux-mêmes et l'artiste se déplace avec rythme et élégance sur la scène. Son corps bouge et réagit devant chaque réplique comme une feuille au vent. Cela s'explique par le fait que sa responsabilité d'acteur envahit sa pensée et que son désir de bien faire domine sa peur. Pour gagner de la liberté et de l'autonomie dans votre vie, vous devez apprivoiser vos peurs et évaluer votre attitude devant les responsabilités.

Je ne connais personne qui s'habitue à la peur, rassurez-vous. Quoique ce sentiment soit regrettable, vous devez prendre conscience que vous pouvez surmonter toute forme de peur. Vous devez apprendre à gérer cette dernière. La compréhension de la peur vous procure un sentiment de confiance, non seulement en vous, mais aussi à l'égard des méthodes à employer pour franchir cette barrière imaginaire. La connaissance de la peur et la compréhension de vos comportements sont des outils très puissants pour vaincre la peur. Avoir de l'information est aussi un atout solide pour diminuer la tension, tout simplement parce que le fait de savoir davantage de quoi il est question diminue le degré d'incertitude et apaise les craintes. Si vous connaissez ce qui se passe réellement et que vous savez ce que vous devez faire, vous aurez moins peur que celui qui est plus ou moins au courant de la situation et qui ne sait pas ce qui l'attend.

Le courage et la volonté sont aussi d'extraordinaires options pour vaincre la peur. Le courage ne signifie pas ne plus avoir peur. Ça veut dire accomplir sa tâche tout en ayant moins peur. Le courage et la lâcheté sont deux choix accessibles à tout être humain. Si vous ne connaissez pas vos réels adversaires, ne lâchez pas prise et n'abandonnez jamais vos rêves.

Lorsqu'on est effrayé, l'humour est un atout qui permet de se motiver et de se détendre. Lorsque la peur devient intolérable, un bon sens de l'humour est capable de noyer les craintes. Acceptez d'être capable de vous moquer de vous-même et de vos peurs. Pour certains, la discipline aide à dominer la peur et à oublier le danger tout simplement en réagissant comme d'habitude. Une des fonctions de la discipline est d'accepter certaines réalités déplaisantes comme si elles étaient une norme ou faisant parfois partie de l'équation du succès. La discipline renforce tellement votre esprit qu'il devient indifférent aux effets destructifs de l'imagination et vous encourage à poursuivre. Pour plusieurs, la prière aide aussi à traverser les pires circonstances de peur. L'activité physique ou mentale, telle que la lecture ou la pratique d'un sport, est un autre moyen de faire périr les peurs.

Lorsque la peur vous saisit, concentrez-vous sur l'action que vous voulez accomplir et ne quittez jamais des yeux votre objectif de réussite. Quand le corps et l'esprit sont pleinement engagés dans une activité, il est surprenant de constater qu'on n'a plus tellement peur. L'action est un merveilleux antidote pour combattre les craintes. Soyez obstiné quant à vos attentes et vos aspirations. Cette attitude fait souvent peur à vos peurs, ce qui vous permet de maximiser votre efficacité.

Il ne faut pas stigmatiser la peur. Cette dernière n'est pas un adversaire mais seulement un fantôme. Accepter les peurs est un procédé destructif qui consiste à occuper son esprit de pensées contradictoires à la réalité. L'essentiel est que vous appreniez à faire face à vos appréhensions, inquiétudes et angoisses. Vous devez changer votre attitude et la perception que vous avez de vous-même. Croyez en votre capacité à réussir et à votre volonté de soulever des montagnes ! Ne craignez jamais de ne pas être à la hauteur de vos aspirations. Une source d'énergie positive vous aidera à ne jamais vous sentir diminué et à ne pas rougir devant qui que ce soit ou devant l'adversité. Aucune situation n'est plus grande que soi !

Vous voulez une méthode rapide et très élémentaire pour vous guérir de la peur ? Alors, lisez bien ces quelques mots. C'est fort simple ! *La peur est une imagination qui vous détourne temporairement de votre réalité.* Gardez toujours la mire sur vos rêves et vous verrez la façon de vaincre la peur.

18

La paresse

Pour nous punir de notre paresse, il y a, outre nos insuccès, les succès des autres.

JULES RENARD

S'efforcer, c'est tenir compte de l'impossible. La notion d'apprendre à se dépasser et la détermination à poursuivre ses rêves sont à la base du succès. Pour réussir à soulever des montagnes, vous devez être continuellement prêt à agir. Vous ne devez pas refuser de mettre en place tous les moyens pour pouvoir réaliser vos rêves. Vous devez envisager vos chances de prospérité parce que demain pourra vous amener à vivre une situation qui vous ouvrira grandes les portes de l'abondance.

Malheureusement, le contraire peut aussi se produire. Une autre raison fondamentale pour laquelle certains ne réussissent pas est la paresse. Le paresseux est celui qui s'empêche d'aller jusqu'au bout de lui-même. Les personnes qui refusent de voir leur paresse n'atteignent jamais le sommet. Ce refus d'agir offre une première notion de paresse. Ces personnes font souvent des détours pour ne pas faire d'efforts ou utilisent des excuses pour dissimuler une certaine forme de crainte devant l'effort ou l'inconnu. Comme la paresse est l'un des sept péchés capitaux, elle n'est pas innée ; elle se traduit par une attitude qui se caractérise par un goût de la facilité et une aversion pour l'effort. La paresse n'est pas une qualité négative, mais la volonté d'en faire le moins possible est une forme de tragédie mentale qui vous empêche de vous épanouir. Quoique chaque individu possède le même potentiel et les mêmes chances de réussite, le paresseux se refuse d'avoir de l'ambition.

Le vrai paresseux est un mammifère arboricole qui habite dans les plus hauts arbres de l'Amérique centrale et du Sud. Cet animal se caractérise par le fait qu'il passe 80 % de son temps à dormir et le reste à se nourrir et à s'accoupler. Lorsqu'il déploie un effort, c'est uniquement pour deux raisons : pour changer d'arbre quand il y est obligé et pour déféquer.

À certains égards, il est étonnant de constater à quel point l'humain peut lui ressembler. On dirait que certaines personnes existent pour dormir, végéter et attendre. Parfois, le paresseux se donne juste assez de vigueur pour s'empêcher de mourir de faim. Si on s'arrête un peu à la notion d'indolence, on remarque que les combattants travaillent pour parvenir au repos, mais que le paresseux réussit même à faire en sorte que cette tâche soit laborieuse.

Nos rêves consistent à satisfaire un besoin ou un désir. Ce processus ne peut porter ses fruits que s'il est suivi d'actions, de gestes ou d'un mouvement de volonté. Comme les gagnants le proclament : « Je suis venu. J'ai vu. J'ai vaincu. » Pourtant, le paresseux rêve, démontrant ainsi une certaine envie de faire quelque chose, mais il n'agit pas. Bouger et risquer de se briser un membre l'ennuient ; il reste donc immobile la plus grande partie de la journée. Le guerrier pense avant d'agir, mais le paresseux rêve et rêve encore. Qui n'a pas entendu les paroles typiques du paresseux : « Faudrait bien que je m'y mette un jour ! », « Je vais le faire demain », « Je sais que je suis capable mais c'est trop difficile ! », « Laisse-moi tranquille ! » En réalité, la paresse n'a rien à voir avec la volonté. Ne rien faire malgré sa capacité de créer, de produire, d'exécuter ou d'avancer vers un but est bien sûr un mépris envers sa propre raison d'être. Négliger de faire de petits gestes pour réussir de grandes choses est l'excuse des lâches.

Pour l'humain, la paresse est une interdiction d'accepter les possibilités de voir grand. L'indolence est une tendance à éviter toute activité, à refuser tout effort et à se laisser aller. Il est rare que quelqu'un se proclame lui-même paresseux. C'est un comportement que l'on attribue généralement à une autre personne ou à des personnages fictifs. Le plus célèbre est sûrement Homer Simpson ; ce père de famille (héros incontesté du dessin animé de Matt Groeing) est l'adepte par excellence du moindre effort. Son passe-temps préféré est la dégustation de beignes et les rencontres chez Moe. Pour lui, le travail consiste à faire la sieste au bureau. Un autre personnage illustrant la paresse est Dormeur, l'un des sept nains dans *La belle au bois dormant*. Ce personnage ne pense qu'à une seule chose, son lit. Il bâille à longueur de journée et s'étend à la moindre occasion. On retrouve le Schtroumpf paresseux qui ne remet jamais à demain ce qu'il pourrait faire après-demain et, finalement, le fameux matou Garfield, le chat le plus paresseux de la terre, amateur de lasagnes. Il ne faut jamais oublier que ces paresseux ne sont que des personnages de bandes dessinées. Êtes-vous un être réel ou un personnage de fiction ?

Avez-vous déjà rêvé de faire une activité qui demande de la discipline ou de la rigueur ? Malgré l'adversité, le gagnant accomplit quelque chose et profite des moyens à sa disposition pour atteindre son but, mais le paresseux s'arme d'excuses pour justifier son inertie. Le paresseux pense à agir mais il se camoufle derrière des excuses : « Il fait trop chaud ! », « Il fait trop froid ! », « C'est trop loin ! », « C'est trop dur ! », « Je ne suis pas capable ! », « C'est impossible ! »

Le champion sait qu'il n'est pas important d'avoir une capacité à toute épreuve puisqu'il peut toujours accomplir une tâche pas à pas. Le résultat ne l'excuse jamais de se priver des ajustements nécessaires pour y arriver. Souvent, les gens sont paresseux parce qu'ils ne savent pas qu'ils sont capables de réussir. Ils pensent qu'ils sont incompétents ou que le travail est trop laborieux. Pourtant, ce qui donne de la valeur à un rêve, c'est l'intensité de l'effort que vous y mettez. Le succès ne laisse aucune place aux excuses ou au manque d'effort.

Le paresseux a beaucoup de difficulté à cultiver sa motivation et son enthousiasme pour atteindre la réussite. Voici l'exemple typique du patron de chantier qui avait huit hommes très paresseux sous ses ordres. Un bon jour, il a décidé de les piéger pour savoir lequel était le plus paresseux : « J'ai un travail très facile aujourd'hui pour l'un de vous. Même un paresseux pourrait le faire. Donc, que le plus paresseux lève la main ! » Sept mains se sont levées en même temps. « Pourquoi n'as-tu pas levé la main ? » a demandé le patron au huitième homme. « Trop de trouble… », a répondu celui-ci.

Je ne crois pas à la paresse. Penser à l'action, c'est encourager l'action. Distinguez-vous par une attitude qui vise à produire un résultat et vous allez adopter une mentalité de gagnant. Appuyez-vous sur les possibilités de réussir au lieu des probabilités d'échouer. L'imaginaire positif excite la venue du réalisme.

Votre volonté est une forme d'intelligence qui comporte un désir d'atteindre un but ultime malgré les obstacles et les risques à prendre. Aucun obstacle n'est insurmontable et toutes les montagnes peuvent être soulevées.

La première résolution que vous devez prendre est de regarder un de vos rêves en face et de ne jamais vous avouer vaincu tant et aussi longtemps que vous ne l'avez pas réalisé. Prenez un but simple et qui peut être atteint en un très court laps de temps.

Allez voir deux clients de plus cette semaine. Faites cinq appels téléphoniques de plus pour obtenir des rendez-vous. Si vous avez le goût de réussir le moindrement, vous allez tenir bon et goûter au succès. Allez-y de petites choses chaque jour pour continuellement vous permettre d'avancer vers votre but ultime. Mettez-vous à jour dans votre travail. Nettoyez la maison, mettez de l'ordre dans vos papiers et classez-les. Prenez l'habitude de cuisiner vos repas au lieu d'acheter de la nourriture déjà préparée. Prenez des marches le soir. Chaque petit changement dans votre vie, aussi simple soit-il, vous fera découvrir de nouvelles choses. Le fait de bouger et d'avancer vous évitera de devenir paresseux et vous redonnera de l'énergie. Ne soyez pas une loque humaine.

Faites de votre vie un orchestre d'actions. N'oubliez jamais que d'autres paresseux demeureront immobiles pendant que vous trouverez des ouvertures et des occasions d'affaires. Tenez bon ! Croyez au succès ! Cette méthode vous libérera de votre indomptable paresse et effacera à tout jamais l'étiquette de paresseux.

Il était une fois un homme nommé Francis qui tenait les clés de son auto dans une main. Soudain, il y a eu une panne d'électricité. L'homme s'est retrouvé seul dans la maison, complètement dans le noir. Lorsqu'il a tenté de sortir, il s'est heurté à un meuble et, en tombant par terre, il a échappé ses clés. Abasourdi, il a essayé en rampant sur le sol de retrouver ses clés, explorant le plancher de ses deux mains. À un certain moment, il s'est relevé et a remarqué qu'à l'extérieur de la maison se trouvait un lampadaire qui diffusait de la lumière. Il s'est dit : « Pourquoi chercher dans la noirceur alors qu'il y a de la lumière là-bas ? » Une fois sorti dehors, il a marché lentement autour de la lumière et a regardé très attentivement le sol. Il s'est dit que l'éclairage l'aiderait sûrement à retrouver ses clés. Peu de temps après, un autre homme qui marchait sur le trottoir l'a observé. Tout en regardant par terre, il lui a demandé : « Qu'est-ce que vous cherchez ? » Francis a répondu : « Je cherche mes clés d'auto. » Et l'autre homme s'est empressé de se mettre lui aussi à la recherche du trésor disparu. Au bout d'un certain temps, l'homme a demandé à Francis : « Avez-vous une idée de l'endroit où vous les avez perdues ? » Francis s'est redressé en pointant le regard vers la maison : « Je les ai perdues dans la maison, mais ici il y a plus de lumière. » Vous qui êtes paresseux, ne cherchez jamais à l'extérieur de vous ce qui existe déjà en dedans de vous ! Vos forces, vos désirs, vos rêves, votre estime de soi, vos aspirations, votre volonté et votre détermination sont là, à votre portée. Vous n'avez qu'à regarder votre attitude et à changer de direction pour vivre l'enthousiasme, l'abondance et la richesse. Bonne quête !

19

L'indifférence

L'indifférence est le commencement de l'échec.

PROVERBE FRANÇAIS

L'indifférence constitue la troisième raison pour laquelle plusieurs personnes ne réussissent pas dans la vie. L'indifférence n'est pas un sentiment mais une position. C'est une forme d'apathie qui vous permet de vivre un état de détachement, sans éprouver le moindre signe de douleur extérieur ni de plaisir apparent. L'indifférence n'a de crainte ni de désir pour aucune chose en particulier. Cette forme de détachement émotionnel est une carapace qui protège l'individu de tout mal présent ou à venir. Bref, être indifférent, c'est accepter de ne plus avoir d'autre choix dans la vie que la sauvegarde de son âme.

Les indifférents acceptent le fait que certaines choses sont impossibles à réaliser et ils se laissent rarement impressionner. Ils se cachent derrière le masque de l'insensibilité pour se protéger de leur propre affaiblissement d'émotions et de leur grande émotivité. L'indifférence empêche ces gens d'assumer leur identité ou l'importance de leurs rêves.

Plus répandue que la colère, l'irritation ou l'exaspération, l'indifférence est une attitude très inquiétante. La colère nettoie une partie affective, émotionnelle, vivifie l'estime de soi. Une personne qui vit de l'irritation provoque une réaction et l'exaspération, mais une personne indifférente est perçue comme du marbre, comme étant dure et froide. Cette forme de protection met le cœur en deuil ; l'âme s'épuise et se fatigue de souffrir silencieusement. Les indifférents ne laissent rien pénétrer à l'intérieur d'eux-mêmes et ont beaucoup de difficulté à croire au succès, encore moins en leurs possibilités de soulever des montagnes. L'indifférence n'est que souffrance, car la personne se sent comme une blessure ouverte devant l'absence de rêves et l'obscurité du succès.

Le cœur, par son battement régulier, est un muscle fait pour alimenter le corps en énergie et pour aimer. Sa fonction indispensable à la vie justifie son existence. Que dire d'un cœur malade qui bat sans amour, sans émotions et sans existence ? Un des plus grands dangers qui guettent constamment votre succès est l'insensibilité aux efforts et aux rêves. Rarement trouve-t-on une attitude plus puissante en négation que la foutaise totale ou la froideur devant l'adversité intérieure. Les indifférents ne sollicitent aucune aide. Ils demeurent irréprochables, froids avec leur visage de cire et se résignent à suivre un chemin de solitude intérieure.

Cessez d'être indifférent à vos projets, à vos rêves et à vos attentes face à la vie, sinon vous vous attirerez des moments difficiles et des situations pénibles. Même les enfants que l'on encourage et qu'on félicite sont capables de faire des miracles dans la vie. À défaut d'encouragement, on les prend dans les bras pour leur montrer qu'ils sont importants et qu'on les aime, ne serait-ce que pour avoir fourni un effort. Vous devez vous aimer assez pour cheminer avec dignité, la tête haute et le corps droit.

L'indifférence est une sorte de mesure de l'intérêt qu'on a pour quelque chose : au départ, la mesure est à zéro. C'est votre responsabilité d'élever cette mesure conformément à vos aspirations dans la vie et non à votre peur des commentaires négatifs, des échecs possibles ou des déboires. Prenez-vous en main pour améliorer votre mesure actuelle ou pour la faire progresser. Acceptez le fait qu'il y a des choses que vous pouvez changer immédiatement dans votre vie. Il y aura toujours des gens malicieux qui ne pourront jamais vous aimer, vous aider vous accompagner, vous épauler ni vous offrir leur soutien. Votre succès dépend de vous ! Vous avez le droit de réussir sans l'accord de ces gens ! Vous avez l'obligation de vivre votre succès sans leur consentement !

L'indifférent évite les sensations, les troubles, les débats, les engagements ou les émotions. Plusieurs personnes désirent paraître insensibles aux yeux des autres pour tenter de se convaincre elles-mêmes qu'elles sont indifférentes. En fait, plus une personne déploie des efforts pour se cacher derrière l'indifférence, plus elle montre qu'elle est touchée, intéressée ou blessée par les propos ou les intentions des autres. Parfois, la « fausse indifférence « est une merveilleuse stratégie qui protége la sérénité d'un individu.

Un exemple concret de « fausse indifférence « me vient de ma fille, Karine. Dans ses cours d'esthétique, il y avait une enseignante au langage très grossier qui était très désagréable envers le groupe, mais surtout envers Karine. Plus les semaines passaient, plus il devenait évident que cette enseignante faisait vivre à ma fille un acharnement constant et insupportable devant les autres élèves du groupe. À la moindre occasion, elle tentait de décourager, de démotiver et de déstabiliser Karine. Après cinq semaines de cours, ma fille faisait face à plusieurs options. La plus facile était de tout simplement abandonner le cours et de faire autre chose. Elle pouvait fuir l'enseignante et éviter ainsi les crises et les reproches incessants. Elle pouvait affronter la situation en ayant avec son enseignante une discussion potentiellement houleuse. Elle pouvait accepter de se protéger temporairement derrière la « fausse indifférence ». Sans riposte, sans émotions ni bronchements devant les remarques et la dureté de l'enseignante, Karine a tenu bon. Elle n'a jamais abandonné son rêve et a obtenu son diplôme d'esthéticienne professionnelle.

L'indifférence a permis à Karine de poursuivre son objectif ultime, d'affronter l'adversité tous les jours et de marcher la tête haute sans se faire démolir ni écraser. Lors de la remise des diplômes, l'enseignante a dit à ma fille : « Je n'aurais jamais cru que tu terminerais le cours. Je suis très surprise que tu sois restée jusqu'à la fin ! » Cette remarque montrait bien que la seule personne à être surprise de la ténacité de Karine, c'était l'enseignante elle-même. Jamais Karine n'aurait laissé quiconque lui enlever son rêve de réussir ou la faire dévier de sa trajectoire. Sa grande détermination, sa volonté et son désir de réussir ont été une inspiration pour moi. Devant une insoutenable adversité quotidienne, Karine a réussi. Chaque fois que je regarde le diplôme de ma fille dans son joli encadrement, je sais que Karine a soulevé des montagnes tout au long de son cours d'esthétique !

Votre indifférence va se transformer dès l'instant où vous changerez votre propre attitude et accepterez le fait que vous n'êtes pas parfait. Personne ne l'est ! Vous devez cesser de prendre trop personnellement les remarques négatives que vous font les gens. Trop souvent, ces remarques ne sont qu'un miroir de leur propre incapacité à réussir. Les perdants tentent par tous les moyens de projeter sur vous leur propre faiblesse et leur insuccès. Soyez audacieux, franc, brave et entreprenant avec ces personnes mesquines. Ayez la sagesse de faire la part des choses, acceptez uniquement ce qui vous appartient et laissez aux autres ce qui leur appartient.

Mettez toujours les choses en perspective et gardez toujours vos rêves en action. Examinez bien les obstacles ou commentaires négatifs qui vous tracassent. Vous allez découvrir que la plupart d'entre eux sont plus stupides que logiques. Rassurez-vous, la difficulté morale est temporaire. Cessez de vous barricader derrière l'indifférence et vous allez triompher par vos actions. Ne croyez plus à l'insuccès. Poursuivez votre propre destinée et vous gagnerez le respect, la confiance et l'amitié en abondance. Votre estime de soi sera des plus prolifiques.

La foi en soi et la pensée positive font souvent fuir les perdants. Cette attitude de gagnant fera s'effondrer vos murs d'indifférence. Une vie de plénitude commence au moment où l'indifférent se sent en sécurité devant les loups et protégé des fantômes mal intentionnés. Transformez donc votre doute de vous-même en une énergie éclatante et faites confiance à vos propres forces intérieures pour soulever vos montagnes. Personne ne peut réussir à votre place ! Pour avoir la confiance des autres, il faut la mériter, la gagner. Remplacez donc votre froideur par la détermination, votre nonchalance par la volonté et votre insensibilité par l'acceptation de vos forces intérieures.

Tout est possible si vous le voulez vraiment. Dégagez-vous de cette fausse fermeture devant le succès. La porte de la réussite s'ouvre à ceux qui acceptent d'adopter une nouvelle attitude. Ce changement libère votre puissance, votre charme et votre beauté intérieure. Vous avez une mine de richesse en vous. Il est temps de la faire fructifier. Soyez une personne d'action et récoltez votre dû !

Les meilleures personnes que j'ai croisées dans ma vie se sont souvent cachées derrière l'indifférence. Allez chercher la confiance des personnes de ce genre et elles laisseront tomber leur armure de glace. Ne les jugez pas et écoutez-les attentivement, et vous découvrirez qu'elles sont des trésors naturels d'inspiration, de volonté, de tendresse, de discernement et d'affection. Avant de tenir un diamant brut entre les mains, il faut accepter qu'il ne soit qu'une pierre dure, imparfaite, froide et noire. Allez-y, vous êtes inestimable ! Il est temps de montrer votre vraie valeur.

20

L'égoïsme

L'égoïsme ne consiste pas à vivre comme on en a envie, mais à demander aux autres de vivre comme on a soi-même envie de vivre.

OSCAR WILDE

La quatrième raison pour laquelle certaines personnes ne réussissent pas est l'égoïsme. Tous les humains désirent vivre une vie heureuse et sans tracas. Malheureusement, trop d'entre eux conçoivent la vie en termes de « je-me-moi », cette attitude intellectuelle qui consiste à toujours ramener tout à soi. Essentiellement, la personne égoïste est préoccupée uniquement par elle-même. Tout ce qu'elle trouve important se limite à ses idées, ses choix, ses activités, ses réussites et ses relations, qui convergent toujours vers un but ultime, *elle-même.*

Ce personnage s'approprie ce qui lui semble plaisant. Il ne tient compte ni du monde qui l'entoure ni des intérêts des autres et ne se soucie jamais d'autrui. L'unique raison pour laquelle cette personne entre en relation, ou fait équipe pour une tâche en particulier, c'est qu'elle y voit l'occasion d'en tirer un bénéfice. L'égoïste fait toujours des actions pour attirer une faveur, du prestige, des avantages physiques ou moraux. Le monde, c'est lui ! Le reste, il l'ignore. L'égoïste tourne sans arrêt dans un cercle dont il est le centre.

Dans le premier stade de son évolution, à partir de sa naissance jusqu'à l'âge adulte, l'être humain est exclusivement orienté vers ses propres besoins de vivre. Dès le premier soupir, on éprouve les besoins d'être aimé, nourri, soigné, stimulé et consolé. Dès ces tout premiers instants, on forge déjà les conditions inconscientes et fondamentales de la survie humaine. Après avoir acquis un minimum d'indépendance, l'enfant s'ouvre peu à peu à un entourage plus vaste : de la mère au père, du père à la famille, de la famille à la parenté, et ainsi de suite.

Pour que cette ouverture progresse normalement et qu'on puisse amener sa petite niche familiale sans embûche vers le monde extérieur, il faut avoir reçu suffisamment d'amour et d'attention pour croire en soi-même. Cette stimulation permet à quelqu'un de s'aimer et de s'accepter. À son tour, la personne pourra commencer à donner de l'amour et de l'attention en retour. C'est le principe du retour du balancier. Dans le cas contraire, la personne peut rester figée dans le temps, dans cette période infantile où le monde entier semblait converger vers elle.

Autrement dit, cette personne devient très égocentrique. Rapidement, elle monopolise tout à son avantage et ne trouve aucun bonheur à échanger, à donner, à partager ou à accorder son potentiel sans espérer avoir une certaine forme de retour sur son investissement de temps, de connaissances et de participation. Cet être égoïste concentre ses actions et ses efforts dans l'unique but de recevoir la glorification, les honneurs ou l'attention. Il accepte que son entourage soit heureux à condition que ce soit par sa grâce à lui. Il peut être très généreux, mais seulement s'il récolte les profits. Il peut être un excellent conseiller seulement s'il en retire la gloire du résultat. Lorsqu'il parle d'une autre personne, il croit sincèrement qu'il parle de lui. Son ultime ambition est d'arracher à la vie tout ce qu'il pourra en obtenir.

Le courageux, le fonceur et le combatif peuvent être considérés comme des personnes très inspirées et déterminées à poursuivre inconditionnellement leurs rêves. Mais l'égoïste a un intérêt personnel autre que la réussite. Il n'investit aucun instant de sa vie pour le bonheur d'autrui à moins d'en retirer un certain bénéfice. Il peut facilement être le créateur de conflits et faire preuve d'arrogance dans le seul but d'agresser ses semblables. Cette attitude le pousse vers la quête du pouvoir, de la richesse et du prestige.

Le vaniteux pense beaucoup aux autres parce qu'il est obsédé par ce qu'on pense de lui. De même, le manipulateur utilise son charme et sa bonté factice pour parvenir à ses fins. Mais l'égoïste ne tient aucunement compte de l'intérêt des autres. Le philosophe allemand et fondateur du pessimisme, Arthur Schopenhauer, a déjà dit que « l'égoïsme « inspire une telle horreur que nous avons été obligés d'inventer la politesse pour le cacher ; il a ajouté que, malgré tout, l'égoïste perce à travers tous les voiles et se trahit en toute rencontre. »

L'égoïste est souvent un solitaire qui attend l'occasion de déployer ses ailes et de prendre toute la gloire. Il est comme un célibataire endurci qui délaisse facilement son entourage pour aller vers d'autres gens qui alimenteront son « moi ». L'égoïste est souvent sa propre victime. Au fond, l'être humain aspire à autre chose qu'à la simple richesse, au pouvoir ou au prestige. L'harmonie avec autrui, l'amitié, l'amour, la complicité et le partage sont les valeurs de tous les vrais gagnants. Contrairement à ce que croit l'égoïste, il ne dégage pas une attitude de trop grand amour de soi ni d'acceptation ; il cache plutôt très bien sa difficulté à croire en lui-même et son manque d'autonomie.

L'égoïste désire avoir tout et tout de suite. Maintenant ! Il a hâte d'avoir du succès et il veut des résultats rapides. En réalité, c'est la raison pour laquelle ce type de personnage n'accomplit pas grand-chose. Lorsque nous désirons réussir, nous sommes conscients des efforts et vigilants devant les situations difficiles. Le gagnant analyse calmement et paisiblement la situation, ses capacités, et reprend le boulot pour accomplir sa destinée.

Un exemple de l'opposé évident de l'égoïste est la mère, qui préfère mourir plutôt que de voir son enfant souffrir d'une maladie ou être victime d'un accident. Cette personne s'identifie tellement à l'autre que la souffrance, réelle ou imaginaire, devient parfois intolérable. C'est ainsi que sont les êtres évolués : ils considèrent les autres comme leur propre progéniture. Afin de contrecarrer l'égoïsme, vous devez vous mettre à la place de l'autre, avec ses propres capacités et moyens, afin de mieux comprendre sa souffrance et sa douleur. Vous ne devez jamais être arrogant ni méprisant envers autrui. Vous devez vous comporter avec humilité et prodiguer aux autres ce qu'ils ont besoin pour réussir et vivre heureux.

Croyez-vous que c'est une grande perte de temps et d'énergie que de vouloir tout avoir pour soi, sans jamais partager, et tout attendre des autres ? Se libérer de l'égoïsme est un processus fort simple. Mais cela prend du courage et de la volonté. La première chose est d'être honnête envers soi-même. Je veux dire vraiment honnête. Il faut être modeste pour corriger le tir et rester vigilant devant toutes les erreurs. Ce n'est pas difficile d'apprendre ni d'acquérir des compétences, mais ça l'est d'être constamment modeste.

Une des plus grandes réussites est de partager généreusement ses connaissances et d'offrir son aide à ceux qui l'attendent. Pratiquez l'écoute active et apprenez des choses autres que pour votre bénéfice. Cessez d'aider les gens uniquement sur votre perception des faits. Comprenez la perception des gens concernés. Votre égoïsme se transformera en compassion et les personnes qui vous entourent le ressentiront. Les effets seront gigantesques !

Votre générosité fait fondre la glace et donne la force à chacun de soulever des montagnes. Personnellement, une des plus belles paroles que mon père m'a dites, et que j'ai souvent entendue par d'autres grands de ce monde, est celle-ci : « La seule justification que tu as pour regarder quelqu'un de haut, c'est que tu vas t'arrêter pour lui tendre la main et l'aider à se relever. À ce moment-là, tu deviens vraiment un homme. »

Si vous trouvez que j'ai été tenace et dur avec l'égoïste, vous avez raison. La cause en est fort simple ! Je sais de quoi je parle, car cette attitude qui empêche une personne de vivre une réussite authentique a été la mienne durant une bonne partie de ma vie. Vous voyez, un égoïste cherche rapidement et continuellement la gloire, l'acceptation et la reconnaissance. Si pour quelque raison que ce soit il ne les obtient pas, il ne tardera pas à chercher un coupable pour lui faire porter le fardeau de ses échecs, de sa défaite ou de son insuccès.

Cette méthode diabolique est une porte de sortie pour protéger le « moi « et préserver l'égoïsme en soi. Un jour, à la suite d'un événement précis, j'ai pointé le doigt en direction du coupable et je me suis vu, moi, seul devant un miroir. Mon reflet pointait directement le visage du « criminel ». J'ai compris qu'il n'y avait personne d'autre que « moi » de coupable ! Pour Edgar Allan Poe, le grand malheur de l'égoïste, c'est de ne pouvoir être seul. Ce type d'individu se préoccupe principalement de lui-même. D'ailleurs, une des meilleures petites pensées en ce qui concerne l'égoïsme est la suivante :

Moi, je suis extraordinaire
Moi, je suis
Moi, je
Moi
Extraordinaire
Moi !

Si vous voulez être un « moi « extraordinaire, réussir et vivre le succès quotidiennement, ne laissez pas l'égoïsme vous éloigner des gens qui vous admirent vraiment pour qui vous êtes et non pour qui vous croyez être. Un changement de comportement et une vision claire vous assurent un véritable progrès vers le succès. Chaque fois que vous avez à faire face à l'adversité, à affronter des choses déplaisantes ou à surmonter des épreuves, examinez la situation et cherchez en vous-même si vous ne faites pas partie de la cause. Cette simple démarche pleine d'humilité vous donnera la force de soulever des montagnes.

21

Vivre dans le passé

Les larmes du passé fécondent l'avenir.

ALFRED DE MUSSET

Vivre dans le passé vous apporte des obstacles inutiles et est source de mensonges et d'excuses qui vous empêchent d'avancer dans le présent. Combien de mensonges vous êtes-vous contés aujourd'hui ? « C'est de sa faute si je vis cette peine », « À cause de cette gaffe, je suis dans le trouble pour le reste de mes jours », « Quand je pense qu'il m'a fait perdre la moitié de ma vie », « Ça, je ne l'oublierai jamais », « Ça, je vais l'emporter dans ma tombe », « Il me met toujours des bâtons dans les roues », « Si tu savais ce qu'il m'a fait, toi aussi, tu y penserais toujours. »

Votre passé et vos excuses vous garderont très occupé, mais vous n'aboutirez nulle part. Ruminer ses problèmes, c'est comme se bercer ; ça donne l'impression de faire quelque chose, mais ça ne mène nulle part ! Même si vous avez une volonté de fer, un désir et de la persévérance, vous ne pouvez changer votre passé. Il n'est plus là !

Votre vie est maintenant ! Là, devant vous ! Ici ! Les excuses engendrent des idées qui vous persuadent que vous êtes sans pouvoir et sans possibilités de changer votre vie. Je déteste le dire, mais nous sommes tous, à un certain moment, prisonniers de notre passé et otages de nos mensonges quand vient le temps d'admettre nos échecs. Nous aimons nos excuses, nos peines, nos misères et notre tristesse, et certains d'entre nous ont besoin d'être protégés contre toute forme de solution et d'action concrète. Après tout, nos excuses font partie de notre histoire.

Dans la vie, certaines personnes obtiennent des résultats et d'autres des excuses. Si vous n'obtenez pas les résultats que vous désirez, peut-être êtes-vous en train de vous conter des mensonges. Vous pouvez toujours fuir la réalité, mais c'est comme se battre contre le vent. Le grand écrivain Mark Twain a dit ceci : « La vie ne réside pas principalement ni particulièrement dans les faits qui vous arrivent. Elle réside plutôt dans la qualité des pensées qui coulent dans votre esprit. » Les raisons créent votre définition et la sorte d'énergie que vous allez déployer devant l'adversité et durant toute votre existence. En changeant cette définition, vous changerez votre attitude et la direction que vous voulez prendre. Vous changerez l'expérience et les aspirations de votre avenir.

Je conviens que la vie ne vous donne pas toujours ce que vous voulez, mais soyez conscient qu'elle vous offre ce que vous attendez d'elle. Quels sont les excuses et les mensonges de votre passé que vous utilisez toujours et qui gâchent vos moments présents ? « Il m'a fait tant de mal. » Trouvez-vous un remède ! « J'ai toujours voulu avoir des enfants ! » Impliquez-vous auprès des organismes pour enfants ! « Je ne serai jamais riche. » Trouvez-vous un emploi ! « Comme mon père, j'ai mauvais caractère. » Si vous le savez, changez de caractère et arrêtez de mettre sur son dos vos propres agissements. « Depuis ma rupture, peu importe où je vais, j'ai l'impression que tous les gens me regardent et qu'ils parlent de moi dans mon dos. » Déménagez !

Durant un repas, une personne m'a un jour fait part de sa douleur et de sa tristesse à la suite de l'éclatement de son couple. La douleur était très vive et très intense. J'ai passé plus de deux heures à écouter cette personne attentivement me raconter ses peines, qui se sont tranquillement transformées en rage. Elle broyait du noir et vivait carrément dans les ténèbres. De retour à son bureau, j'ai rencontré un ami et on a discuté de choses et d'autres. En partant, je lui ai dit que son confrère vivait des moments difficiles et qu'il avait le moral à terre. Je lui ai confirmé que son confrère venait juste de se séparer. Mon ami m'a répondu : « Michel ne vient pas juste de se séparer. Ça fait huit ans qu'il est divorcé. » Huit ans ! Quatre-vingt-seize mois ! Deux mille neuf cent vingt jours de torture mentale et de souffrance inutile ! Aime-t-il tant cette souffrance qu'il ne désire plus s'en départir ? Recherche-t-il uniquement de la sympathie ou de la compassion pour survivre ? N'a-t-il plus d'autres sujets de conversation ? N'a-t-il jamais pensé à passer à autre chose ?

Vous avez beau vous accrocher au passé mais… Lorsque j'ai rencontré ce Michel la semaine suivante, je lui ai demandé : « Désirez-vous qu'elle revienne et que vous formiez de nouveau un couple ? » Spontanément, il m'a répondu : « Jamais dans cent ans ! » C'est là que je lui ai dit : « Il est trop tard, car vous ne l'avez jamais quittée. Savez-vous que vous vivez toujours avec elle ? » Vivre dans le passé peut être un boulet lourd à traîner. Pensez à la petite histoire des deux pêcheurs ou de la mouche. Laissez vos fardeaux et lâchez prise sur votre passé et sur vos excuses. Cessez de vous cogner la tête contre un mur. Un passé négatif que l'on ressasse détruit les rêves au lieu de cimenter les forces pour bâtir le moment présent, lequel construira l'avenir.

Une chose est sûre : vous avez beaucoup plus de chances de changer des choses pour améliorer votre avenir que de possibilités de modifier votre passé. Ne passez pas votre vie à méditer sur votre passé, mais sachez plutôt que celui-ci vous aidera à préparer votre avenir. Il ne sert à rien de vous attarder à essayer de le changer et à dépenser de l'énergie sur une réalité déjà construite. C'est impossible, infaisable et impensable. N'utilisez pas votre passé comme un tremplin pour sauter plus haut et pour finalement aboutir sans cesse à la même place. Débarquez et ne perdez plus votre temps à vous plaindre.

Devant un groupe réuni dans une salle, une psychologue a dit un jour : « Si vous me permettez, je vais vous offrir un secret qui va provoquer la faillite de tous les psychologues du monde. Si vous faites exactement ce que je vais vous dire, vous n'irez jamais en thérapie et votre vie sera d'autant plus gratifiante et heureuse. Écoutez bien ! *Revenez-en ! Passez à autre chose !* Voilà le secret de la sérénité et de la paix intérieure. »

Si on faisait le film de votre vie, trouveriez-vous un début, un milieu et une fin ou seulement un début et un milieu qui ne finit jamais ? Si vos sujets de conversation se répètent de minute en minute, d'heure en heure, de semaine en semaine, de mois en mois et d'année en année, il est vraiment temps que vous cessiez de tourner en rond et que vous passiez à autre chose, n'est-ce pas ? Ne restez pas esclave de votre passé ; soyez plutôt le maître de votre avenir. Ne laissez pas vos souvenirs vous empêcher d'avancer ni personne détruire votre moment présent. Il n'est jamais « trop tard » pour changer ses attitudes et ses aspirations. Prenez la décision de soulever vos montagnes et poursuivez votre chemin.

22

Le découragement

Le découragement est, en toute chose, ce qu'il y a de pire, c'est la mort de la virilité.

HENRI LACORDAIRE

La vie comporte des jours absolument extraordinaires et d'autres plus sombres. On trouve des moments de grande joie et d'autres de profonde tristesse. Qui n'a pas vécu des moments de gloire et d'autres de défaite ! Ce sont des circonstances tout à fait normales. Certaines personnes sont incapables de voir les choses positivement et avec réalisme, ce qui les amène à vivre du découragement. Cette attitude de tristesse et de déception est la sixième raison pour laquelle plusieurs personnes ne réussissent pas. Cet état d'esprit traduit l'incapacité à réussir quelque chose.

Le découragement prend naissance dans le doute. Pour commencer, le mot « découragement » est issu du mot « cœur ». Le préfixe « dé » signifie un manque de courage devant l'adversité, l'effort ou le combat à mener. Ce manque de confiance en soi face à l'incertitude entraîne un certain degré de stress et de pessimisme. Ce manque étouffe votre espoir et change votre perception de vos forces et votre capacité à réussir.

Le découragement est un des problèmes émotionnels les plus communs que les gens expérimentent. Pourtant, c'est l'excuse ultime à laquelle vous avez recours pour échapper à bon nombre d'occasions et d'obligations. C'est l'excuse qui mesure le degré d'importance que vous accordez aux obstacles et aux défis qui se trouvent sur votre chemin. Cette faiblesse de caractère vous empêche de fournir tout effort pour réussir. Lorsque vous évitez de donner votre plein rendement à bâtir ou à produire votre réalité, vous fournissez le minimum d'effort et ne recourez qu'à la moitié de vos ressources, et ce, de façon délibérée. Cette tendance représente un recul draconien devant chaque occasion que vous avez de vivre une vie harmonieuse.

Ce sentiment d'être abattu, à plat ou écrasé est une perte d'énergie négative qui vous empêche de marcher la tête haute et de passer à autre chose. Soyez conscient que plus vous restez dans le découragement, plus vous aggravez les choses. Le découragement ne disparaîtra jamais si vous n'agissez pas de façon à l'éliminer. Ne refusez jamais de combattre vos difficultés et ne vous empêchez jamais de fournir un minimum d'effort pour vous en sortir. Se plaindre ou accuser le monde entier est une source d'énergie dérisoire pour réussir. Se plaindre n'est pas fournir un effort, c'est seulement appliquer un diachylon sur une blessure plus profonde.

Cessez de dire des paroles de ce genre : « Ça n'arrive qu'à moi », « La barre est trop haute », « Je ne vais jamais être capable de m'en sortir. » Ce n'est pas la difficulté de l'épreuve qui compte, mais votre état d'esprit et le désir profond de vous en sortir. Transformez votre attitude passive en une attitude positive. Soyez proactif dans votre démarche au lieu de passif dans votre attitude. Cessez de vous apitoyer sur votre sort et reprenez votre destinée en main. Regardez ce que vous pouvez accomplir et ayez la volonté de changer le résultat actuel qui vous empêche de vivre heureux. Vous avez en vous tous les outils nécessaires pour réussir. Débarrassez-vous de vos appréhensions négatives et l'armure du découragement disparaîtra.

Le découragé est une personne qui n'a pas d'enthousiasme, d'entrain ou de désir en ce qui concerne la poursuite de son rêve. Il a généralement un caractère influençable et cherche continuellement l'approbation des autres pour pouvoir poursuivre ses démarches de réalisation. Le découragé utilise souvent une forme d'autocritique négative qui donne place à une pression additionnelle et à une incertitude relativement à sa capacité à réussir, ce qui détériore ses rêves, son rendement et son succès.

Commencez à accepter que vous êtes né pour réussir. Croyez qu'aucun obstacle ne peut vous éloigner de votre but ultime. Rassurez-vous en vous disant que vous êtes capable d'atteindre la plus haute marche du podium. Changez votre attitude de lâche et affirmez vos positions. Changez vos comportements de perdant et relevez-vous. Soyez tenace et poursuivez votre chemin avec assurance. Renouvelez votre esprit de moments joyeux, de bonheur et de bien-être. Acceptez votre puissance de changer les choses et trouvez le moyen d'arriver à votre destination.

Lorsque vous implantez de nouvelles visions et que vous acceptez d'être moins dur avec vous-même, vous voyez grandir l'estime que vous avez pour vous. Éric Gagné est l'un des plus jeunes lanceurs du baseball majeur à avoir gagné le trophée Cy Young, dédié au meilleur lanceur. Ce jeune Québécois, qui ne parlait pratiquement pas l'anglais, s'est installé aux États-Unis pour réaliser son rêve de jouer dans les ligues majeures. Il a mangé son pain noir. Il s'ennuyait de sa famille et de ses amis ; de plus, à cause des différences dans la langue et la culture, il n'avait pratiquement personne avec qui converser et échanger. En 1995, à Oklahoma, il avait déjà un pied dans la porte. Il était complètement découragé par le sport, son rêve, et doutait de ses capacités. Un recruteur à dû insister auprès de lui pour qu'il poursuive son année. Éric a pris la décision de compléter la saison et de mettre tous les efforts nécessaires pour réussir ; cependant, aucune organisation du baseball majeur n'avait encore manifesté de l'intérêt pour lui. Il était seul, découragé et complètement abattu.

Habité par ce qu'il lui restait de son rêve, Éric a persisté. Un jour, le recruteur des Dodgers de Los Angeles est venu le voir lancer à Edmonton : il est venu, l'a vu, et a cru en son talent et en son potentiel. Avant cette rencontre, Éric avait parcouru un chemin très difficile. Il aurait facilement pu baisser les bras et se laisser aller au découragement. Lors de son entrée sur la scène du baseball majeur, ce colosse a plusieurs fois été rayé de la rotation des partants. Il a même été retourné aux mineures à deux reprises.

Il aurait facilement pu dire : « J'en ai assez ! Je n'y crois plus ! » Dans les circonstances, les excuses auraient pu être le remède parfait. Comble de malheur, Éric a subi en 1997 une intervention chirurgicale au coude et les experts croyaient qu'il en était à la fin de sa très jeune carrière. Ne se laissant pas emporter par le découragement, il est revenu plus fort, plus sûr de lui et plus déterminé que jamais. Trois ans et 152 sauvegardes plus tard, il était considéré comme le meilleur lanceur des majeures. En dépit de son jeune âge, il faisait déjà partie de l'histoire des majeures avec un record du nombre de parties sauvegardées consécutivement. À l'instar d'Éric, vous avez le droit de rêver et de soulever vos montagnes pour réussir l'impossible.

Pour les personnes découragées, voici une petite histoire à lire très attentivement :

Lorsque j'ai demandé de la force,
vous m'avez envoyé des difficultés pour me rendre plus puissant.

Lorsque j'ai demandé de la sagesse,
vous m'avez envoyé plus de problèmes à régler.

Lorsque j'ai demandé de la prospérité,
vous m'avez donné plus d'intelligence et d'occasions.

Lorsque j'ai demandé du courage,
vous m'avez envoyé plus de risques et de pièges.

Lorsque j'ai demandé de l'amour,
vous m'avez envoyé des gens qui avaient besoin d'aide.

Lorsque j'ai demandé des faveurs,
vous m'avez envoyé plus d'occasions de réussir.

Je n'ai rien reçu de ce que je demandais,
J'ai reçu tout ce dont j'avais besoin pour réussir.

Il y avait un jour un groupe de crapauds qui voyageaient à travers la forêt. À un moment donné, deux d'entre eux sont tombés dans un fossé. Lorsque les autres ont vu la profondeur du trou, ils ont dit à leurs infortunés compagnons : « Tous les deux, vous êtes aussi bien que morts. » L'un des prisonniers a complètement ignoré le commentaire et a commencé à sauter énergiquement le plus haut et le plus fort qu'il le pouvait. Les spectateurs lui criaient de cesser son acharnement, d'accepter sa fâcheuse position et d'attendre tranquillement la mort. Une fois de plus, le crapaud a tenté de sauter plus haut, mais sans atteindre son but. Il regardait les autres crapauds qui criaient inlassablement. Finalement, il a désespérément tenté un dernier saut. Il a réussi ! Sauter si haut est un exploit tant incroyable qu'extraordinaire pour un crapaud. Lorsqu'il a été entouré des autres membres du groupe, l'un d'eux lui a demandé : « Nous as-tu entendus ? « Le crapaud a expliqué qu'il était sourd. Il a remercié tous les crapauds pour leur encouragement à sauter plus haut et à ne pas lâcher. « Grâce à vous, a-t-il dit, je n'ai jamais abandonné et je me suis surpassé ! »

Retenez cette petite histoire et cessez d'écouter les gens qui tentent de vous décourager ou qui ne comprennent pas votre position. Recherchez la compagnie de personnes qui vous offrent l'occasion de vous reprendre ou qui vous encouragent à vous surpasser. Vous pourrez toujours sortir vainqueur d'une impasse ou d'une situation difficile si vous désirez réellement suivre la route des possibilités et des réussites que vous avez choisie. Soulever des montagnes n'est pas une épreuve de force, mais la décision de poursuivre son chemin. Vous arriverez à votre destination uniquement si vous décidez de continuer. Sinon, restez dans le fossé et attendez !

Avec une mentalité différente et une nouvelle confiance en vous, vous allez reprendre courage et augmenter votre capacité à vous surpasser. Toute réussite est une question de foi et de volonté. Saviez-vous qu'un aigle sent bien à l'avance la venue d'une tempête. Il vole aussi haut qu'il peut et attend patiemment les vents froids et les nuages. Lorsque la tourmente arrive, il déploie ses ailes le plus possible pour prendre de l'altitude et voler au-delà de l'orage. Quand la tempête gronde plus près du sol, il s'envole dans les cieux pour y être au chaud et à l'abri des intempéries. L'aigle ne se laisse pas décourager par la venue d'une mauvaise nouvelle et ne repousse pas une situation incontournable. Au contraire, il travaille avec le vent pour surmonter la tempête et avec l'adversité pour en ressortir plus fort. Souvenez-vous que ce ne sont pas les fardeaux de la vie qui vous écrasent, mais la façon dont vous réagissez devant les épreuves. Le découragement ne provient jamais d'autrui ; il n'est qu'un reflet de vos erreurs de jugement.

Soyez responsable de vos actions et assumez-en pleinement les conséquences. Une fois que vous avez accepté les faits, il est temps de changer de registre et de poursuivre ! Le découragement semble parfois comme un coup de pied au cul. Demandez-vous à qui appartiennent les fesses ! À ce moment-là, soyez positif et dites-vous qu'au moins vous n'êtes pas le dernier du groupe. Il faut que vous soyez en avant ! Allez, foncez !

23

La disparition des montagnes

Quand le soleil s'éclipse, on en voit la grandeur.

SÉNÈQUE

Tout ce qui vous arrive dans la vie est une épreuve pour voir si vous croyez vraiment en vous. Lorsque vous identifiez vos propres forces, attitudes et habiletés à réussir, vous démontrez votre confiance en vous et votre volonté de vivre le bonheur. La facilité est une capacité qui se retourne souvent contre vous, mais l'adversité reflète votre vrai visage et mesure votre désir de réussir.

À ce stade du livre, vous avez sûrement compris ce qui suit : quelles que soient les difficultés que vous rencontrez, quelle que soit la chose qui vous écrase, quelles que soient les raisons qui vous dérangent intérieurement ou qui vous mettent mal à aise, peu importe que vous ayez raison ou tort, si vous vous considérez comme un conquérant de désirs et de rêves, vous allez toujours arriver à vivre le succès. Lorsque vous vivez un échec, demandez-vous quels sont les véritables motifs qui vous poussent à agir et quelles sont les véritables raisons de vos déceptions. Si vous traitez vos idées ou vos efforts superficiellement alors que vous croyez être profondément déterminé à réussir, je vous suggère de vous regarder dans un miroir et de trouver le coupable.

Je pourrais même dire que, peu importe les efforts que vous mettez, c'est la porte de votre destinée qui est importante. Dans votre quête de la réussite, vous devez accorder beaucoup d'importance aux efforts et à la persévérance, sinon vous n'allez que vous leurrer vous-même. Si vous ne changez pas votre propre vision et vos propres pensées, vous ne pourrez jamais avancer d'un seul pas.

Comme nous venons de voir, les six causes pour lesquelles certaines personnes ne réussissent pas sont les suivantes : la peur, la paresse, l'indifférence, l'égoïsme, le fait de vivre dans le passé et le découragement. Devant l'adversité, votre attitude et vos efforts déterminent la grandeur et la hauteur de vos épreuves. Parfois, les événements prennent tellement d'ampleur que les difficultés semblent grandir et devenir hors de proportion. Vos rêves s'étouffent lentement; le doute et la peur s'installent. Si vous laissez les obstacles effacer vos rêves et vos inspirations, ils s'amplifieront davantage chaque jour et prendront des proportions démesurées. Vous serez découragé. Certaines personnes tenteront de vous motiver alors que d'autres vous diront peut-être « Laisse donc faire et accepte le résultat ! » ou « Dans mon temps… » sans jamais vous apporter l'encouragement ou vous donner les conseils nécessaires pour vous faire avancer. D'autres encore vous diront peut-être « Ce n'est pas mon problème, arrange-toi ! » Tranquillement, vos petites faiblesses vous apparaîtront aussi grosses que des montagnes !

Voilà ! *Vous* venez de découvrir la provenance de *vos* montagnes.

Ce sentiment d'impuissance et de frayeur devant *vos* propres motifs inconscients d'échec n'est qu'une illusion ; ce n'est qu'une question d'attitude et de perception. Les montagnes sont un reflet de *votre* imagination négative, de votre doute, de votre crainte et de votre appréhension. En réalité, les montagnes d'anxiétés et de défaites n'existent pas. Elles représentent une forme de projection de vous-même vers l'avenir et le reflet de *votre* attitude présente devant *vos* actions et *votre* détermination à réussir. Rien ne devrait *vous* empêcher de vivre l'abondance. Si *vous* avez construit *vos* propres obstacles d'impossibilité, *vous* devez avoir le courage et la responsabilité de les soulever.

Plusieurs facteurs entrent en ligne de compte dans la recherche du succès. Si vous n'avez jamais vécu de déceptions, c'est probablement que vous ne visez pas très haut. Gardez toujours vos aspirations en bonne santé et permettez-vous de sortir de l'eau pour vivre des moments extraordinaires.

Voici l'histoire du poisson. Un poisson sait-il qu'il est dans l'eau ? Vous êtes-vous déjà posé cette question ? Il est fort possible que non ! Regardez un poisson dans l'eau. Il est vraiment de toute beauté ! Il est gracieux, fluide et toujours en mouvement. Or, il peut commettre une erreur qui lui sera fatale. Lorsqu'il voit un appât, il se lance de toutes ses forces vers son objectif. Erreur impardonnable ! Je remarque que chaque fois qu'un poisson est sorti de l'eau, son comportement change énergiquement et son corps s'agite de tous les côtés. Ses yeux s'ouvrent tout grands et sa bouche est grande ouverte comme une personne qui arrive dans une fête surprise. On dirait que le poisson se dit : « Mon Dieu, j'étais dans l'eau tout ce temps ! C'est vrai qu'il existe un autre monde ! Si j'avais su ! » Parfois, ce qu'on considère comme acceptable ou normal est uniquement une perception ou la mauvaise habitude d'accepter qu'on ne peut connaître ni obtenir mieux. Laissez vos obstacles derrière vous et envisagez de découvrir de nouvelles frontières. Il est temps de vous sortir la tête de l'eau et de regarder vos montagnes en face.

Ne doutez jamais de *vous*. Croyez en *votre* capacité de réussir, *votre* volonté de vivre le bien-être, *votre* passion à bâtir *vos* rêves, *votre* persévérance à accomplir des miracles, *votre* discipline à créer de bonnes habitudes, *votre* créativité à concevoir de nouveaux chemins, *votre* inspiration qui motive *vos* réalisations et *votre* respect de vous-même et des autres.

Malgré toutes les opinions que peuvent formuler les gens de votre entourage et en dépit des obstacles et des inconvénients que vous allez rencontrer, vous ne devez jamais abandonner vos rêves et votre destinée. *Ne sous-estimez jamais votre capacité de réussir.*

Peu importe *votre* chemin, *vous* avez toujours la grandeur de *votre* puissance et la capacité de soulever *vos* montagnes. L'art de réussir l'impossible est en *vous* !

Quatrième partie

24

Bâtir son succès

La clé de la réussite, c'est de désir.

Al Pacino

Le champion sait très bien que la réussite ne vient pas du jour au lendemain et qu'elle ne tombe pas du ciel. Vous êtes venu au monde avec les capacités et les possibilités de devenir un grand bâtisseur de succès. Lorsqu'une personne ne parvient pas à s'épanouir comme elle le mérite, c'est souvent qu'elle crée ses propres montagnes, ce qui l'empêche de se rendre où elle veut aller. Prenez conscience que chaque être humain a tout ce dont il a besoin pour bâtir sa réalité et vivre le succès.

Chacun d'entre nous est né avec la capacité de réaliser ses rêves et la liberté de choisir ses aspirations, ses amis, son éducation et sa passion. Ce sont les bases du succès! Réussir, c'est d'abord et avant tout cette connaissance de soi qui a permis aux grands de ce monde (ceux que nous admirons pour leurs habiletés extraordinaires, leurs connaissances inégalées ou leur détermination à franchir des barrières jusque-là insurmontables) d'atteindre les sommets qu'ils ont choisi de gravir, bref, de se réaliser. Ces gagnants croyaient qu'ils étaient capables de parvenir à la réussite et n'ont pas hésité à bâtir leur succès. Et plus que tout, ils étaient motivés à réussir. Tout comme eux, vous pouvez bâtir votre succès et actualiser pleinement vos rêves. Cibler un rêve, définir un plan d'action, fixer une date pour concrétiser ce rêve sont autant de moyens privilégiés pour y parvenir. Mais encore vous faut-il connaître vos aptitudes, vos forces et vos faiblesses, définir clairement vos désirs, cerner vos motifs et découvrir vos obstacles. Plus votre connaissance de vous-même sera approfondie, plus vous éprouverez du plaisir à définir votre véritable mission dans la vie. Ainsi, vous saurez que vous possédez des habiletés particulières, des aptitudes distinctes qui se reflètent dans vos comportements ; vous serez donc plus conscient de votre puissance de soulever des montagnes.

De plus, cette connaissance de vous-même vous donnera le sentiment d'être sensible et attentif à vous-même, donc plus fort durant la construction de vos rêves. Elle vous permettra de vous adapter et d'ajuster vos plans de construction sans perdre de vue vos véritables désirs et motivations pour atteindre ou dépasser vos limites. Bref, soulever des montagnes n'est pas seulement un moyen de satisfaire ses besoins ; c'est aussi, et même surtout, une activité qui demande une humble et constante remise en question de soi-même.

Cependant, soyez très vigilant à l'égard de ce que vous suggère votre inconscient, car il existe en vous deux états d'esprit contradictoires. L'un est parfaitement propice à la réalisation de vos rêves et vous mène au sommet de l'épanouissement, alors que l'autre se consacre à l'étouffement de vos idées et vous fait vivre de l'anxiété ou du découragement. Au cours de votre construction, vous rencontrerez plusieurs personnes ou vivrez des situations qui vous demanderont de prendre position ou d'agir. Évitez de vous éloigner de votre plan et, peu importe la condition de vos deux états d'esprit, n'oubliez pas que vous êtes le seul responsable de vos choix. Vous devez assumer la pleine responsabilité de vos actions.

Tous les gagnants savent que le succès ne vient pas sans effort. Ils savent persévérer, accepter, changer, modifier et parfois même revoir complètement leurs choix, et ce, sans jamais se décourager. Retenez ce principe d'évaluation et de changement : le changement consiste à concentrer son énergie pour avancer et créer du nouveau, et non pour rester en place. Le Mahatma Gandhi, chef du mouvement nationaliste indien au nom duquel il a mené avec succès la campagne de résistance non-violente contre le régime britannique, a dit : « Vous devez être le changement que vous voulez voir dans ce monde. N'écoute pas tes amis quand l'Ami à l'intérieur de toi dit "Fais ceci !" » Pour ce faire, acceptez que votre réalité puisse se modifier par une attitude positive, de la ténacité ou un changement de l'état actuel de votre monde. N'oubliez jamais qu'un champion garde toujours la volonté d'aller jusqu'au bout. Pour les gagnants, une idée claire, une stratégie et de la persévérance sont les qualités de base essentielles pour réussir à soulever des montagnes.

Bâtir son succès se fait rarement en ligne droite. Ce n'est surtout pas une route sur laquelle il suffit de foncer tête première sans regarder où l'on va. En adoptant l'attitude du fonceur aveugle, vous allez éventuellement aboutir quelque part, mais la porte de la prospérité vous restera toujours fermée. Un ancien proverbe chinois dit ceci : « Si nous ne changeons pas de direction, nous aboutirons là où nous nous dirigeons. » Pour parvenir au succès, vous devez savoir exactement où vous êtes, ou vous voulez aller et, si nécessaire, vous ajuster continuellement pour y arriver. Soyez patient et prenez le temps d'étudier le parcours, d'évoluer et de changer de stratégie, si nécessaire, en vue de vivre l'abondance. Sans une vision claire et un plan bien défini, votre projet peut devenir une forme de suicide mental et rester un autre désir inachevé.

Un désir sans direction n'est pas suffisant pour réussir. C'est comme sauter d'un avion sans parachute. Il faut savoir « *vouloir* » avec fermeté, avec sagesse, mais surtout avec jugement. Bouger sans cesse, foncer et pousser sans lucidité sont aussi productifs et exigeants que faire du ski nautique dans le désert. Il vous faut être capable de vous arrêter, de réfléchir, de penser et de raisonner avant de prendre une direction. Ne soyez pas ce type de personne qui fonctionne avec un bandeau sur les yeux, car la volonté de réussir et la persévérance brute peuvent altérer votre vision réelle des choses.

Lorsqu'on veut bâtir le succès et vivre la réussite, plusieurs facteurs entrent en ligne de compte. Avant tout, on doit définir les trois paliers de la réussite : le *désir*, le *souhait* et la *réalisation*.

Une fois que les trois paliers sont définis, tous les champions entreprennent six étapes d'évaluation qui sont mesurables et quantifiables pour atteindre le plus haut sommet. Les gagnants optent pour une *attitude positive* et une *motivation* à réussir. Ils prennent des *risques* calculés, s'assurent d'avoir une *saine gestion* et prennent toujours la *responsabilité* de la construction de leur rêve et du résultat. Finalement, ils font une *évaluation constante* de leurs progrès.

Un des plus précieux éléments du succès est de savoir ajuster sa démarche sans déployer de l'énergie inutilement. Avec le temps, j'ai moi-même appris que la qualité prévaut parfois sur la quantité. Je préfère avoir un voyage d'une semaine intense en Europe, en sentir les parfums, goûter les mets exquis de ses régions et dévorer des yeux sa beauté plutôt que de vivre huit semaines dans des mansardes sans jamais mettre les pieds dans les musées ou à la campagne.

Avant de partir pour l'aventure de concrétisation de vos rêves, vous devez toujours avoir une idée claire, nette et précise de vos aspirations. S'il le faut, écrivez votre rêve et affichez le papier à un endroit où vous pourrez le voir continuellement jusqu'à ce que le rêve s'impose dans votre quotidien. Une petite astuce pour vous : l'accompagnateur de rêves le plus stimulant et le plus efficace est le *plaisir*. Le plaisir de faire une action vous assure d'atteindre toujours le centre de la cible au lieu de vous contenter de simplement atteindre une cible. Instantanément, viser le centre de votre cible devient attrayant et vous séduit. Un rêve sans attrait est comme un poisson sans eau. Lorsque vous avez du plaisir à réaliser un rêve, tout ce que vous construirez parallèlement vous procure du bonheur, du bien-être, de la satisfaction et de la fierté.

La clé du vrai succès, c'est de mettre le temps et les efforts nécessaires à l'exécution parfaite d'une tâche plutôt que de la répéter cinq fois de façon passive et désintéressée. Cette habitude de champion vous offre la chance de toujours être à la recherche de votre plein rendement sans avoir à gaspiller inutilement votre temps et votre énergie.

Cessez d'attendre un gain à la loterie ou un héritage avant de bâtir votre succès. *Prenez-vous en main !* Ne gâchez pas votre vie en mettant tous vos déboires sur le dos des autres. La structure d'une réussite est semblable à un plan d'exécution, avec une vision éclatante de vos propres priorités. Les champions n'attendent jamais le moment propice pour commencer. Il est toujours temps pour vous de vous engager sur le chemin de votre succès. Démarrez ! Le temps parfait, c'est aujourd'hui ! Maintenant ! Présentement ! Là ! Commencez à prendre votre destinée au sérieux et à agir pour vous-même. N'attendez pas les autres, car vous ne faites probablement pas partie de leurs priorités quotidiennes.

N'ayez pas peur d'agir ; vous allez voir que vos actions et vos décisions vont se perfectionner d'elles-mêmes et se raffiner avec le temps. Une action qui est cohérente avec vos désirs vous mènera tout droit vers votre mission. Vos décisions deviendront plus efficaces, plus raffinées et plus solides. Immédiatement, vous commencerez à constater le changement, vous remarquerez du progrès et vous verrez votre vie s'améliorer. Prendre l'initiative de réaliser un rêve est aussi indivisible que le sont les deux faces d'une pièce de monnaie. Ce principe d'action devient une pièce inestimable.

Un jour, un vieux sage prenait une marche dans le bois avec quatre jeunes hommes désireux de connaître la recette du succès. Le vieux sage leur a demandé de placer une petite branche d'arbre devant chacun d'entre eux. Lorsqu'il y a eu quatre morceaux parallèlement placés devant lui, il les a attachés ensemble avec de la ficelle. Ensuite, il a demandé à chacun de prendre le paquet de branches et de tenter de le briser. Chacun a essayé, mais en vain. Le sage a enlevé la ficelle et remis à chacun une branche pour voir s'il pouvait la briser. Les quatre ont facilement réussi. Le vieux sage leur a alors dit : « La recette du succès est une somme de choses, de petites choses qui, une fois rassemblées, ne peuvent être détruites par personne. Si vous séparez, ne serait-ce qu'un seul des éléments, vous allez briser vos rêves et ne goûterez pas au succès. » Les quatre jeunes hommes ont demandé la signification des quatre branches et le sage a répondu : « Pour aller jusqu'au bout de vos rêves et vivre le succès, vous devez avoir de la *motivation*, le sens des *responsabilités*, le sens du *risque* et le sens de l'*initiative*. » Les jeunes hommes étaient ravis de connaître le secret mais, juste avant de partir, le vieux sage leur a dit : « N'oubliez pas l'essentiel du succès. L'élément la plus important, c'est la ficelle ! » Les jeunes sont restés muets et intrigués par la signification de cet élément qu'ils avaient négligé. Le vieillard a poursuivi : « La ficelle, c'est l'élément qui tient toutes les pièces du succès ensemble. La ficelle, c'est l'amour ! Vous devez aimer ce que vous faites dans la vie, sinon vous allez vivre un succès sans âme et sans héritage. Seul l'amour pour ce que vous faites garantit l'ampleur de tous vos succès. »

Malgré tous les obstacles et inconvénients qui surgiront tout au long de votre parcours, vous ne devez jamais quitter des yeux votre but ultime. Vaincre vos peurs, c'est triompher de l'un de vos plus grands ennemis vous empêchant de soulever des montagnes. Le principe de la réussite ne consiste pas à chercher toujours plus, mais à s'accomplir en fonction de ses rêves et de ses aspirations, et ce, avec passion, amour et bien-être de soi-même.

Vous avez le pouvoir de transformer votre vie et de changer votre attitude dans la mesure de votre capacité mentale. Vous avez entre vos mains la capacité de bâtir votre moment présent et de réussir l'impossible. Vos aptitudes sont ce que vous pouvez faire, votre motivation détermine ce que vous allez faire, mais votre amour pour ce que vous faites dicte le degré de votre succès. *Ne sous-estimez jamais votre potentiel de soulever vos montagnes*. Vous pouvez réussir l'impossible !

25

La structure de la réussite

Rien n'est plus insondable que le système de motivations derrière nos actions.

GEORG CHRISTOPH LICHTENBERG

Ce qui pousse toute personne saine d'esprit à la colère, à la frustration, à la joie, à la tristesse, à la haine ou à l'amour, c'est son degré de motivation. Pour entretenir un rêve, vous devez être capable de considérer la situation et d'agir sur de multiples facteurs tels que l'adversité, le temps, la vision et le chemin à parcourir pour atteindre votre but ultime.

La naissance d'un rêve prend forme dès l'instant où vous avez un désir à combler ou une peur à éviter. En retour, la qualité de cette semence augmente ou diminue l'intensité de votre motivation à prendre position et à agir. La motivation est une décision de mettre de l'avant les efforts et le temps nécessaires dans une activité précise. La notion de motivation est très différente du dynamisme ou de l'audace énergique, qui consiste plutôt à déployer de l'énergie ou à être actif.

Lors de toute démarche personnelle que vous entreprenez pour obtenir quelque chose, réussir une activité ou atteindre un certain degré de succès, vos désirs conscients ou inconscients guident directement vos comportements et votre attitude, donc vous font agir ou réagir. Personne n'est exempt de désirs psychologiques personnels ou professionnels. De ce fait, la meilleure préparation pour vivre le succès de manière hautement efficace et régulière, c'est de connaître ses véritables intentions et désirs avant d'établir une structure. Pour cela, il faut faire preuve de lucidité et d'honnêteté envers soi-même, ce qui, je l'admets, n'est pas toujours facile.

Savoir définir clairement son désir est d'une importance capitale dans la structure du succès. Ce départ vous permet de bien cibler votre premier pas vers la réalisation et de déterminer le degré d'intensité qui vous permettra de vous rapprocher le plus rapidement possible de la réussite. La vraie question à laquelle il faut répondre dans tout processus de réussite est : « Qu'est-ce que je veux vraiment ? » En d'autres mots : « Quelle est ma vraie motivation pour mettre mon temps, mon énergie et ma capacité à accomplir une tâche précise ? » Voici des exemples de motivation, présentés de façon aléatoire, qui peuvent se cacher derrière votre *mission* :

- Le besoin d'être aimé
- Le besoin d'aimer
- La reconnaissance
- Le besoin d'être quelqu'un
- Le besoin de plaire
- Le besoin d'appartenance
- La tranquillité d'esprit
- Un besoin financier ou matériel

- Une liberté de choix et d'action
- Le désir d'éviter des problèmes ou la critique
- L'autonomie
- La sécurité
- Le besoin de se sentir utile
- Le besoin d'aider
- Le désir d'éviter une punition
- Le fait de se sentir bien dans sa peau
- Le besoin d'éviter une dispute
- La justice
- Le désir d'éviter la critique
- La fuite des problèmes

Comme vous le voyez, les motivations à faire ou à obtenir quelque chose sont aussi nombreuses et diversifiées que les étoiles qui illuminent le ciel la nuit ! Elles sont, en fait, les véritables raisons qui poussent tout être humain à agir ou à réagir. Chacun de nous recherche la satisfaction de ses désirs profonds, notamment l'amour, le bien-être, la joie, la sérénité, l'estime de soi et le sentiment d'avoir accompli quelque chose. Encore une fois, je vous conseillais plus tôt d'éviter d'être votre pire ennemi dans la vie ; la façon la plus sûre de devenir votre meilleur ami, c'est de découvrir vos besoins réels, ceux qui alimentent votre motivation, et non pas d'aller à contre-courant de ce qui vous rend vraiment heureux, serein et prospère.

Chaque activité que vous entreprenez dans la vie est liée, d'une façon ou d'une autre, à vos désirs ou motivations. Comme vous le savez maintenant, le processus pour soulever des montagnes et réussir l'impossible dévoile plusieurs aspects de votre personnalité, de votre manière d'agir et de réagir à une situation.

Réussir ou non l'impossible dénote et confirme votre comportement devant l'adversité et les obstacles. Ce qui influence ce comportement, ce sont vos talents et vos aptitudes naturelles à entreprendre ou non une action. Vos aptitudes vous permettent d'acquérir des habiletés, qui sont à leur tour alimentées par votre attitude, laquelle détermine votre façon de percevoir les choses et de vous conduire en des circonstances particulières. Finalement, cette attitude vient de vos désirs ou motivations, que sous-tendent votre volonté et votre conscience. Chaque étape de votre vie comprend tout cela.

Pour savoir soulever des montagnes, réussir et vivre l'abondance dans chaque sphère de votre vie, vous devez définir ce qui alimente vos désirs profonds. Qu'est-ce qui vous incite à agir ? Avez-vous un besoin que vous désirez combler ou une peur que vous voulez éviter ?

Voici le schéma entourant la structure de la réussite :

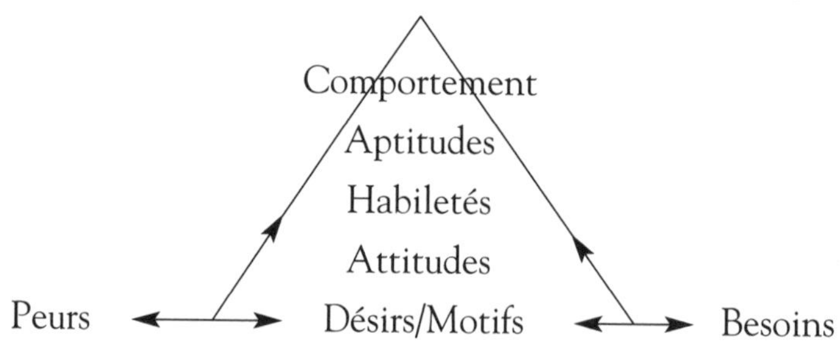

Nous avons vu ensemble les éléments qui constituent la structure du succès. Pour vous aider à avoir une idée claire et précise de cette structure, j'ai dressé un schéma qui présente succinctement chacune des étapes franchies par les gagnants. Ce schéma présente le déroulement des actions. La formule qui suit représente les étapes qui vous permettront le plus facilement d'atteindre le succès et de soulever vos montagnes :

Désirs/Motifs

Le « trésor » ultime que vous cherchez à obtenir.
Le résultat final que vous attendez.

Mission

Ce que vous devez réaliser selon des paramètres précis.

Objectifs

La façon de combler vos attentes, vos désirs et votre mission.
Une combinaison des demandes à réaliser
(Où ? Quand ? Quoi faire ? Pourquoi ? Qui ?).

Stratégies

Les habiletés nécessaires pour faire quelque chose.
La planification visant la réalisation de vos rêves.
Le moyen d'atteindre les objectifs visés.

Le résultat attendu

Le souhait

Si vous tenez compte de cette structure de réussite, je peux vous garantir que chaque aventure vous amènera le résultat espéré, mais personne ne peut prédire l'avenir et vous garantir le résultat d'avance. Croyez-vous que, dans une compétition sportive, chacun des participants joue pour perdre ? Évidemment non ! Chaque membre de l'équipe utilise ses talents et ses efforts pour réussir et remporter la victoire. Collectivement, chaque équipe utilise une stratégie pour gagner. Avant chaque partie, savez-vous d'avance qui va remporter la victoire ? Non. Moi non plus ! Mais une chose est sûre, c'est que chaque personne gagnante utilise cette forme de structure de réussite pour atteindre son but ultime.

26

La motivation

La motivation est, pour l'esprit, semblable à de la nourriture.

Une seule assiette ne suffit pas.

PETER J. DAVIES

Demandez à tous les champions ce qui les motive à agir et leur réponse sera probablement le désir d'atteindre leur plein potentiel et d'être bien dans leur peau. Ces gens se lancent continuellement des défis de grandeur. Le gagnant désire toujours atteindre un *but* bien précis. Ce qui pousse tout gagnant, c'est la motivation à accomplir quelque chose de précis. Le mot « motivation » nous vient du mot « motif » ou « mobile », qui désigne le phénomène psychologique qui pousse une personne à faire quelque chose. La motivation est un ensemble de profonds désirs ou de volonté à accomplir une mission ou à viser un but qui correspond à un besoin. Dans la structure de la réussite, un des premiers éléments d'importance est votre degré de motivation pour réussir.

Avoir des buts est essentiel à la motivation et au désir de réussir. Supposons que vous avez une automobile dont le réservoir est rempli d'essence, que cette voiture est dotée d'un moteur musclé V8 de 7 litres, développant la bagatelle de 500 chevaux, et que sa carrosserie est haut de gamme. De plus, supposez que l'automobile peut accélérer de 0 à 100 km/h en moins de quatre secondes et que sa vitesse de pointe est de 305 km/h. L'auto s'inscrit dans les valeurs sûres et est pourvue d'un potentiel incroyable. Malgré sa fière allure, tant qu'une personne ne s'assoit pas derrière le volant et n'actionne pas une clé, elle n'a aucune valeur ni chance d'avancer. Vous venez de comprendre le principe. La clé correspond à votre *motivation*.

Votre désir et votre intérêt forment une sorte de spirale qui augmente votre motivation à réussir. La motivation est l'énergie qui vous anime et qui vous oblige à agir. Sans elle, tout vous semble ennuyeux, gris et sans relief. Vous perdez rapidement le goût de créer, d'entreprendre et de poursuivre vos rêves. Sans un minimum de motivation, rien ne se fait correctement. La motivation n'est pas un trait de caractère : c'est cette petite voix intérieure qui vous pousse à l'action et qui transforme vos rêves en réalité. C'est le degré de motivation qui détermine votre investissement d'énergie, qui mobilise vos talents et qui augmente vos efforts à vouloir combler un besoin.

Un musicien doit produire de la musique, un artiste doit peindre, un auteur doit écrire. Dans l'absolu, chacun doit être heureux et en paix avec lui-même; il se doit de produire. La motivation amène une personne à ce qu'elle *peut être*, à ce qu'elle se *doit d'être*!

Les informations qui suivent nous viennent de monsieur Abraham Maslow qui, en 1943, a publié la théorie sur la motivation humaine. La dynamique de la motivation prend la forme d'une hiérarchie ascendante en cinq étapes, que voici :

1. Physiologique (la faim, la soif, l'habitation)
2. Sécurité (la protection physique et émotionnelle)
3. Sociale (l'affection, l'appartenance, l'acceptation)
4. Estime de soi (le respect, l'autonomie, l'accomplissement, le statut)
5. Actualisation (accomplir des choses, faire, produire, agir)

Pour bien expliquer cette partie du livre, je vais me concentrer uniquement sur le besoin d'accomplir ou d'agir, ce que Maslow appelle l'*actualisation*. Ce qu'une personne peut devenir, elle doit le devenir ! Maslow affirme qu'une fois que vous serez parvenu à rendre un de vos désirs conforme à vos aspirations, plus vous aurez la capacité de répéter l'expérience. Votre motivation affirme votre satisfaction, votre estime de soi et votre place dans la société. Les personnes qui arrivent à construire leur réalité à force de ténacité vont généralement le faire toute leur vie. Ces personnes forgent leur caractère, leur structure et leur existence pour atteindre le bonheur malgré toute adversité. La plus belle conclusion de Maslow, c'est que chaque individu a le potentiel de changer ses actions, ses décisions, ses attitudes et ses comportements pour redéfinir son rôle et ses aspirations.

La motivation est gratuite et accessible à tout un chacun. Il vous reste à cibler un rêve, à définir une structure et à fixer un délai pour transformer ce rêve en réalité. Plusieurs grands noms ont réussi à soulever des montagnes par leur motivation et leur volonté de réussir. On dit qu'Elvis Presley aurait déjà été banni du Grand Old Opray, où un habitué de la place lui aurait dit :

« Fiston, tu n'iras nulle part avec ce style de musique ! » Oprah Winfrey aurait déjà été remerciée lors d'un de ses tout premiers engagements à la télévision et le producteur lui aurait dit : « Tu n'es pas faite pour la télévision. Cherche-toi un autre emploi ! » Lors de la sortie de son premier album en anglais, Céline Dion a dit ceci sur les ondes de la télévision nationale américaine : « Je vais être plus populaire que Michael Jackson. » Le reporteur, un sourire moqueur au coin des lèvres, a trouvé un peu arrogante et prétentieuse cette petite Québécoise d'oser ainsi se mesurer à Michael Jackson. Pensez-vous que ces grands noms ont cru leur interlocuteur ? Pensez-vous qu'ils ont abandonné leur rêve si facilement ?

Les occasions de réussir attirent les gens qui rêvent. Ces personnes sont les premières à être engagées, les premières à qui on offre une chance, les premières à être promues. Plus le rêve est grand, plus les portes s'ouvrent par magie. Les personnes sans rêves sont rarement engagées et les portes se referment rapidement. Pourquoi ? Simplement parce que la personne qui rêve agit différemment. Elle développe une attitude de « conquérant », une énergie, et donne un sens à sa vie. La motivation transforme l'impossible en possible, l'irréalisable en réalisable et l'inatteignable en atteignable.

27

La responsabilité

Dans la vie, bien souvent, les responsabilités nous échappent comme l'eau qu'on puise avec un panier percé.

LAO SHE

Depuis le début de ce livre, je parle souvent de la responsabilité pour soulever des montagnes et réussir. Le mot « responsabilité » crée un tel impact dans notre vie qu'on trouve plus de 14 800 000 sites sur ce thème. C'est peu dire de son importance. Le mot « responsabilité » vient d'une combinaison de deux mots : « habilité » et « réponse ». Une personne qui prend une action est habilitée à répondre de ses propres actes et gestes. La première caractéristique commune qu'on trouve chez les gagnants se traduit par un mot : *responsabilité*. Ces gens assument entièrement la responsabilité de leur vie, de leurs rêves et des difficultés. Qui parle de responsabilité accepte de parler d'une certaine forme de dignité, de respect, de leadership et d'attention.

La notion de responsabilité nécessite de reconsidérer ses mensonges, ses excuses et ses habitudes ou comportements pour mieux s'ajuster de manière à réviser ses choix de réussite. Pour réussir à soulever des montagnes, ne cherchez ni excuses ni prétextes, alors que vous savez très bien ce qui n'a pas marché et pourquoi ça n'a pas fonctionné. Le gagnant s'engage moralement à remplir une mission et à assumer entièrement les conséquences de ses actes. La cause de l'échec doit être volontaire et consciente pour que vous assumiez l'imputation de vos actions et décisions.

La responsabilité est une prise de conscience morale à répondre d'un fait, d'un geste ou d'un acte et à en être garant. Ce concept consiste à accepter les conséquences, que ce soit dans le présent ou l'avenir. Votre sens des responsabilités vous met en relation avec l'ampleur de vos décisions et les effets qui s'ensuivent, qu'ils soient positifs ou négatifs.

On peut facilement transmettre nos pensées, nos opinions et nos raisons d'agir d'une certaine façon, mais il est plus difficile d'accepter la responsabilité de nos choix. Avoir la foi, l'espérance, la détermination et la volonté de réussir ne vous dégage aucunement de votre propre responsabilité à réussir.

Réussir sa vie est une forme noble de responsabilisation et non de circonstances. Vous pouvez avoir de l'espoir sans motivation et être découragé sans raison ou plaider l'ignorance des faits mais, pour réussir et être clairvoyant, vous devez être responsable de votre situation, de vos décisions et de vos efforts à réaliser vos rêves. Winston Churchill a dit : « La responsabilité est le prix à payer pour le succès. »

Le gagnant se fixe un but clair, utilise le discernement, élabore une stratégie et se fixe une limite de temps. Il ne se berce jamais d'illusions et sait qu'il est capable d'accepter et d'assumer le résultat. Il accepte le fait qu'il puisse faire des erreurs et se tromper, mais il sait apporter les correctifs qui s'imposent pour se rapprocher de son but ultime. Un gagnant est un visionnaire audacieux qui a toujours les deux pieds bien ancrés dans la réalité.

Cette réalité vous permet de prendre le temps de découvrir vos capacités, de développer et d'optimiser vos talents pour aller au bout de vous-même et atteindre votre but ultime. Les gens qui prennent la responsabilité de leurs actes montrent avant tout une volonté de comprendre et d'apprendre à partir d'un résultat pour ensuite mettre au point les correctifs et ajustements qui s'imposent.

Être branché sur la réalité vous permet d'utiliser au mieux vos capacités sans trop gaspiller votre énergie et votre temps. Prendre la responsabilité du progrès et des efforts vous offre l'occasion de voir avec lucidité les difficultés que vous pouvez régler et d'apporter les changements nécessaires pour poursuivre. Cette petite décision vous donne l'impression que vous êtes le maître de la situation et que vous contrôlez le processus de perfectionnement. Prendre la responsabilité d'un résultat médiocre est une occasion de reconnaître que la défaite n'est que temporaire, ce qui vous permet d'apporter les correctifs pour aller de l'avant.

Si vous vous dites capable d'assumer la responsabilité de vos actes, vous devez non seulement agir mais aussi, et ce qui est plus important encore, être redevable du résultat. Comme vous savez, si vous ne réussissez pas, votre crédibilité va diminuer considérablement et les gens vont commencer à vous nuire, à vous faire des commentaires et à vous fournir des solutions non sollicitées. Ce manque de responsabilisation vous évite de vivre le bonheur et le bien-être. Il existe un vieux dicton qui dit : « Une faute à moitié admise est une erreur à moitié pardonnée. »

Il faut être courageux pour regarder la réalité bien en face et composer avec les modifications à apporter. Apprivoisez l'inattendu, les imprévus, les accidents de parcours, et gardez toujours l'esprit ouvert. La vie est remplie d'embûches imprévisibles. Acceptez la responsabilité de vos actions et regardez ces dernières comme des défis qui vous rapprocheront de votre but. Cultivez une attitude positive et apprivoisez les changements qui s'imposent pour éviter les pièges que représentent les excuses et les phrases telles que « Ce n'est pas de ma faute » et « C'est à cause de l'autre ! » Prendre la responsabilité de ses actes, c'est se donner le sentiment d'être autonome, compétent et déterminé. Cette décision fait une grande différence entre un rêve perdu et une vie de plénitude.

28

Le sens du risque

On ne peut vivre qu'en dominant ses peurs,
pas en refusant le risque d'avoir peur.

NICOLS HULOT

Les inventeurs, les créateurs, les bâtisseurs, les concepteurs, les individus prospères et les fondateurs ont tous pris des risques. Le risque fait partie intégrante de la recette du succès. Il augmente le degré de sensibilité et de créativité. Pour affronter l'adversité, il faut parfois être audacieux. Prendre des risques est le processus par lequel vous faites des choix qui vous permettent d'être là où vous devez être par opposition à où vous vous trouvez actuellement. Le risque est une prise de décision non émotive, mais qualitative ou quantitative quant à la valeur de vos attentes. Risquer ne veut pas dire jouer son salaire des six prochaines semaines dans l'espoir de gagner le gros lot. Ce comportement relève plus d'une forme de maladresse que d'un risque calculé.

Vous avez sûrement déjà entendu l'expression « Qui ne risque rien n'a rien ! » Heureusement, pour le gagnant, c'est vrai !

Le gagnant repousse ses limites et transforme les probabilités en possibilités. Cette décision exige que vous regardiez profondément en vous-même pour définir les priorités qui vous aideront à vous réaliser pleinement. Prenez l'exemple du loup qui, l'hiver, erre sans cesse dans la forêt à la recherche de la nourriture qui apaisera sa faim. Il persiste, s'approchant même des fermes et des habitations pour trouver de quoi se nourrir. À ce jour, je ne crois pas qu'aucun loup se soit suicidé. Persévérez ! N'oubliez jamais que ce sont vos choix et vos actions du moment présent qui vous permettent de construire votre destinée, et non le contraire. Le pouvoir du risque vous fait repousser vos limites et avancer dans la vie.

Croyez-vous que sir Edmund Percival Hillary, un Britannique, n'a pris aucun risque lorsque, le 29 mai 1953, il a été la première personne à atteindre le sommet de l'Everest ? Croyez-vous que le fondateur de Microsoft, Bill Gates, qui avait prédit qu'un jour tous les foyers auraient un ordinateur comme tout le monde avait à l'époque un téléphone, n'a pris aucun risque en avançant ce commentaire ? Croyez-vous que Wilbur et Orville Wright n'ont pris aucun risque le 17 décembre 1903, lors de leur premier vol en avion à Kitty Hawk, en Caroline du Nord ? Lorsque Joseph Armand Bombardier, au jour de l'An 1922, a présenté à sa famille la première motoneige, croyez-vous qu'il n'avait jamais modifié ou perfectionné son invention ?

Pour qu'un résultat soit modifié d'une façon avantageuse, il faut un déséquilibre, sinon rien n'avance, rien ne progresse. Le déséquilibre engendre un changement de direction, des risques et une mutation d'idées. Pour maintenir une motivation optimale, il faut continuellement s'adapter, oser, risquer en tentant le meilleur possible et être conscient que, si rien ne change, il n'y aura aucune possibilité de réussite. L'homme qui ne risque rien et qui dit que telle ou telle chose est infaisable ne doit jamais interrompre celui qui est en train de la faire.

Le révérend Jessie Jackson a souvent observé que les gens qui progressent dans la vie ont deux qualités principales : la spontanéité et l'audace. Lorsque les champions vivent une situation qui commence à stagner, ces deux atouts naissent en eux et leur offrent l'occasion de changer la situation afin d'en maximiser le résultat. Le risque est un stimulus d'action qui exige un résultat différent. Prendre un risque implique de prendre une nouvelle direction et fait entrevoir de l'amélioration, des progrès, du changement, de l'avancement, des modifications, une part de hasard, une transformation ou une mutation dans un moment présent.

À force d'entendre des paroles comme « Fais attention, tu vas tout perdre ! », « Les risques sont trop grands ! », « Ne bouge pas et ne fais pas de vagues ! », « J'ai travaillé trop dur pour prendre le risque de tout perdre ! », « À vos risques et périls ! », « Qui risque rien n'a rien ! » ou « C'est un trop gros risque à courir ! », nous finissons par y croire. Pour les perdants, le mot « risque » signifie danger, perte, ultimatum, casse-cou. Or, pour la science du progrès et de l'avancement, ces négations représentent des signes de régression et d'éloignement de tout perfectionnement.

Nous intériorisons ces messages et nous limitons nous-mêmes nos propres possibilités de réussir et d'avancer. Il est triste de voir des personnes cheminer dans la vie avec l'impression qu'il ne leur reste plus d'option, sinon de se soumettre ou d'abandonner. C'est ridicule et surtout atroce ! La journée où vous cessez de vous tenir debout devant l'adversité, vous vous renfermez dans une petite coquille d'excuses et perdez une grande partie de votre estime personnelle. Vous bloquez votre propre épanouissement ainsi que le potentiel de briser la chaîne qui vous retient en place. Libérez-vous de votre harnais de confort et ayez le courage de prendre la décision d'améliorer votre vie. Prendre des risques donne souvent naissance à une endurance insoupçonnée et ouvre la voie à une nouvelle forme d'énergie, de créativité et de possibilités.

Un vieil homme mourant a dit un jour à une jeune infirmière : « Si je devais recommencer ma vie, je commettrais beaucoup plus d'erreurs, je prendrais bien plus de risques et je me sentirais moins coupable. » Il a pris une grande respiration et a poursuivi : « Toute ma vie on m'a dit : "Quand tu seras grand ! Quand tu auras de l'argent ! Quand tu seras prêt !" Quand ? Quand ? Quand ? Quand ? Toute ma vie j'ai attendu. Là, il est trop tard pour m'apercevoir que la réponse, c'est *maintenant* ! »

Prendre la peine de découvrir ses capacités et vouloir optimiser ses talents pour aller jusqu'au bout de soi-même représentent un défi quotidien. Vous devez savoir que poursuivre un rêve implique toujours un facteur de risque parce que grandir, avancer et produire veulent aussi dire laisser sa zone de confort et entrer dans un territoire inconnu. La plupart des gens n'osent pas prendre de risques pour divers motifs : ils manquent de confiance en eux, ils ont peur de perdre leur zone de confort ou ils sont convaincus qu'ils vont perdre plutôt que de croire qu'ils peuvent réussir. La personne proactive sait qu'elle possède tous les atouts pour construire sa destinée. Au lieu d'attendre et d'espérer, elle prend la responsabilité de ses actions et va de l'avant avec ses plans pour soulever ses montagnes. Être proactif, c'est prendre l'initiative de sa vie personnelle et agir positivement selon une vision nette de ses objectifs ultimes.

Les gens qui prennent des risques détestent la défaite. Ils regardent toujours ce qu'ils doivent accomplir et ce qu'ils doivent faire pour réussir. En 1858, monsieur R.H. Macy avait échoué sept fois avant que son magasin soit prospère et devienne non seulement le plus gros magasin à rayons des États-Unis, mais aussi un symbole de prospérité de la ville de New York. Le Britannique John Creasey est l'un des auteurs les plus prolifiques de la littérature policière. Avant qu'il reçoive son premier chèque, on lui avait refusé sept cent cinquante-trois fois ses manuscrits. L'écrivain vivait dans la pauvreté avant de réussir à faire publier cinq cent soixante-quatre romans, dont plusieurs sont devenus des films, par exemple *The Body Guard* et *Man on Fire*. Après que Michael Jordan eut joué sa dernière partie de basket-ball, un reporter lui a demandé son secret : « Je n'ai jamais eu peur des échecs. Il faut toujours essayer », s'est-il empressé de répondre.

Votre statut actuel et vos accomplissements sont les rétroviseurs de votre vie. Vos rêves, vos aspirations, votre volonté, votre détermination et votre sens du risque sont des vitrines qui vous permettent de voir votre avenir. Au lieu de vous demander « Pourquoi faire ? », demandez-vous « Pourquoi pas ? » Là est la vraie question que se posent tous les gagnants.

29

L'initiative

L'initiative est une chose individuelle.

MARCELLIN BERTHELOT

Dans la vie, il existe deux situations : ou vous avez l'initiative de faire quelque chose, ou vous suivez cet autre qui la prendra à votre place. Pour atteindre le succès, vous devez avoir de l'initiative : il vous faut mettre vos rêves en action. L'initiative consiste à faire le premier geste. Tel un enfant qui fait ses premiers pas, vous devez d'abord apprendre à vous lever pour ensuite vous diriger vers un objectif. Vous pouvez avoir tous les rêves du monde et posséder toutes les qualités nécessaires pour les réaliser, si vous ne prenez pas l'initiative nécessaire pour y parvenir, vos rêves vont rapidement disparaître et vous ne serez qu'un éternel insatisfait.

L'initiative est l'une des plus grandes libertés que vous ayez, car elle implique une prise de décision : la liberté de ne rien faire ou la liberté de produire un résultat qui vous promet un avenir chargé de trésors inestimables. Si vous désirez produire un changement dans votre vie et construire une réalité qui soit plus conforme et en harmonie avec vos aspirations, vous devez prendre l'initiative d'agir de façon déraisonnable. Ainsi, comme le mentionnait le dramaturge irlandais George Bernard Shaw : « L'homme raisonnable s'adapte au monde actuel ; l'homme déraisonnable s'obstine à essayer d'adapter le monde à lui-même. Or, tout progrès dépend donc des gens déraisonnables. » Il a aussi dit : « Efforcez-vous de faire ce que vous aimez dans la vie, sinon vous serez forcé d'aimer ce que vous faites. » Prenez la résolution et l'initiative d'agir ; cette décision vous offrira l'occasion d'obtenir ce que vous désirez, ce que vous aimez et ce que vous méritez dans la vie.

Tout progrès, aussi minime soit-il, aura été à un certain moment une idée, un rêve, une intention ou une vision avant de devenir une réalité. Malgré l'incertitude du résultat, les champions prennent l'initiative de faire une action qui les rapproche sensiblement de leur but ultime. David J. Schwartz disait que l'important n'est pas où vous étiez ni où vous êtes, mais où vous voulez vous rendre. Vous devez visualiser l'image de votre personne, ce que vous voulez devenir et ce que vous voulez améliorer si vous désirez vous épanouir pleinement. Cette pensée est primordiale pour la réussite. La personne qui n'a ni vision ni rêves n'est qu'un autre humain perdu qui avance aveuglément dans la vie. Sans l'initiative de réaliser ses rêves, on n'avance pas. Pensez-y ! Mais, ensuite, partez !

Exigez de vous-même une action qui permettra que vos rêves se réalisent. Vous avez tous des désirs. Chacun de nous rêve de ce qu'il veut faire, mais peu de gens sont convaincus de réussir. Au lieu d'agir, nous tuons nos rêves dans l'œuf. Débarrassez-vous des excuses, des raisons factices, et cessez de jouer au martyr. Remettez-vous à croire en vos possibilités et investissez de l'énergie pour exaucer vos vœux. Lorsque vous prenez l'initiative de faire quelque chose, vous embarquez sur une autoroute à une voie. Dans votre course au succès, fixez-vous des objectifs, des échéanciers, un plan stratégique et des récompenses de parcours ; votre détermination et votre motivation à agir vont alors vous propulser vers la réussite.

Un groupe de chasseurs de renards avaient réuni une vingtaine de chiens beagles et ils montent sur leurs chevaux pour leur chasse à courre hebdomadaire. Tous les chiens attendent patiemment le signal du départ, à l'extérieur de l'écurie. Dès l'apparition du tout premier chasseur, un chien se lève avec enthousiasme, anticipant le son de la trompette pour se mettre à courir. Alors, plusieurs autres chiens commencent à se lever et à s'exciter. Au moment où le chasseur fait le geste d'avancer la trompette vers ses lèvres, le premier chien est déjà parti et les autres se mettent à le suivre comme les wagons d'un train.

Savez-vous que le dernier chien de la troupe qui est parti à courir n'a jamais vu un renard de sa vie ? Savez-vous qu'il ne sait même pas à quoi ressemble cette bête ? La seule chose qui préoccupe ce chien, c'est de s'assurer qu'il ne perdra jamais de vue les dix-neuf autres postérieurs devant lui, sinon il serait complètement perdu. Tentez donc d'être le premier à agir, prenez l'initiative et vous verrez votre but se matérialiser sous vos yeux. Commencez donc à faire les pas qui vont vous conduire au miracle.

L'initiative consiste à prendre la décision de faire des efforts tout en tenant compte de l'impossible. Demain, dans deux jours, dans une semaine, vous serez peut-être appelé à produire ; alors, vous ne devez pas refuser de mettre en place, dès aujourd'hui, tous les moyens pour pouvoir profiter des occasions que la vie vous offrira. Soyez assuré d'une chose : la vie ne vous envoie jamais de défis ou d'épreuves que vous ne pouvez surmonter, ni de rêves que vous ne pouvez matérialiser, ni d'occasions propices à repousser vos limites. Souvenez-vous que vous avez en vous les forces suffisantes pour soulever vos montagnes.

L'initiative représente une loi naturelle des connaissances humaines. Vous avez le droit et la liberté de choisir d'agir ou non. Vous disposez en vous de tous les éléments de réussite : c'est à vous de faire les bons choix. Prenez conscience que vous êtes plus fort que les anges des cieux, car vous avez la *liberté de choisir* vos actions. L'initiative fait fructifier votre liberté et perfectionne vos habiletés à réussir. Ne restez pas immobile devant un tel éventail de rêves à réaliser, sinon vous allez perdre vos ailes de succès.

L'écrivain Sinclair Lewis a été le premier Américain à recevoir le prix Nobel de littérature. Un jour, il devait faire un discours très attendu d'une durée d'environ une heure devant un groupe d'étudiants aspirant à devenir écrivains. Lewis a commencé son discours par une question : « Combien d'entre vous désirent vraiment devenir des auteurs ? » Avec enthousiasme, toutes les mains se sont levées dans la salle. Alors, il a dit aux membres de l'auditoire : « Dans ce cas, mon conseil est le suivant : retournez chez vous et écrivez ! » Puis, il est parti. Selon vous, ce message est-il assez clair, net et précis ? Si vous voulez réaliser vos rêves mais que vous ne prenez pas l'initiative pour y arriver, personne d'autre ne le fera à votre place.

30

La deuxième chance

On a sans doute à peu près les mêmes chances de gagner à la loterie, que l'on joue ou pas.

FRAN LEBOWITZ

Si vous aviez la chance de recommencer votre vie, que changeriez-vous ? Que feriez-vous de différent ? Que voudriez-vous accomplir de plus ? Je vous conseille d'agir aujourd'hui, dès maintenant, alors que vous avez encore du temps devant vous ! Votre deuxième chance est arrivée.

Attendre d'avoir de la chance avant de mettre les efforts nécessaires pour accéder à la réussite est une attitude insignifiante. Tenter de réaliser ses rêves ne suffit pas ! Il faut les produire, les construire, les bâtir ! La chance sourit toujours à ceux qui croient pouvoir réussir. La chance, c'est l'occasion et la possibilité, la réussite et la fortune. Si vous avez eu l'occasion et la possibilité de réussir et d'être riche, vous êtes un chanceux. Or, si vous croyez n'avoir aucune chance de réussir et de vous enrichir, vous être un malchanceux. La chance est l'outil que Dieu nous donne pour valider la perception que nous avons de nos forces et de notre foi.

Le plus gros mythe qui entoure la chance, c'est que cette dernière est toujours en mouvement. En effet, nous entendons souvent des phrases telles que « Il faut attraper la chance lorsqu'elle passe », « Il faut toujours courir après la chance », « Vous avez raté la chance de... », « La chance est déjà passée ». Nous entendons aussi des phrases du genre « La chance lui court après » et « La chance s'est placée de son bord ». Parfois, la chance se déplace tellement vite qu'on la perd. Alors, nous entendons « Il a perdu sa chance de... » ou « Il est bien chanceux d'avoir trouvé... » Cependant, quelle horreur de croire que la chance est si rapide ! On dirait qu'elle se déplace à la vitesse de l'éclair. Écoutez ! La chance reste en place, elle est visible et parfaitement accessible pour celui qui sait la voir et la saisir. Dès que vous avez de l'espoir, la chance vous accompagne ; dès que vous avez de la volonté, la chance vous suit ; dès que vous tentez quelque chose, la chance vous sourit ; dès que vous êtes déterminé à poursuivre, la chance vous montre le chemin. Le cinéaste Patrice Leconte croit que la chance, c'est ce qu'on croit toujours ne pas avoir. Celui qui agit sollicite la venue de la chance, tandis que celui qui ne fait rien endort ses chances.

Barry White, le chanteur noir de *rhythm and blues* et de *soul*, a grandi dans les banlieues mal famées de Los Angeles et, dès l'âge de dix ans, il était membre d'un gang. À dix-sept ans, il a été condamné à quatre mois de prison pour avoir volé les roues d'une voiture. C'est dans sa cellule, alors qu'il entendait une chanson d'Elvis Presley, qu'il s'est mis à s'intéresser à la musique. À tout moment, les gens lui demandaient de chanter. Il a alors pris la décision de ne plus jamais remettre les pieds dans une prison. Il a réalisé qu'il devait changer ses fréquentations et réfléchir à ce qu'il voulait faire de sa vie. Il voulait chanter. Entre autres, il a interprété de grands classiques tels *Never, Never, Gonna Give Up*, *You're the First*, *The Last* et *My Everything*. A-t-il été chanceux ou a-t-il pris la bonne décision et mis les efforts pour poursuivre son rêve ? Croyez-vous qu'il a eu une deuxième chance ou qu'il a saisi une simple occasion de changer ?

En 1996, le cycliste Lance Armstrong était au 9e rang mondial, son meilleur classement depuis le début de sa carrière. Malheureusement, en octobre de la même année, il a été touché par un cancer et écarté de la compétition pendant un an. Son médecin estimait que ses chances de survie ne dépassaient pas 50 %. Après sa guérison et une longue rééducation, il a décidé de reprendre le vélo en 1998. L'année suivante, il a remporté son premier Tour de France et est devenu le second vainqueur américain après Greg LeMond. Seul vainqueur de six éditions consécutives du Tour de France, il a été choisi comme athlète de l'année 2002 par le magazine *Sports Illustrated*. Il a mis sur pied sa propre fondation pour la recherche contre le cancer. Il voulait faire du cyclisme et être le meilleur au monde. A-t-il été chanceux ou a-t-il pris la bonne décision et mis tous les efforts pour poursuivre son rêve ? Croyez-vous qu'il a eu une deuxième chance ou une occasion de persister ?

Si la chance était comme les chiffres, elle augmenterait à mesure que vous avancez dans la réalisation de vos rêves. Or, si votre chance est à zéro et que vous ne bougez pas, même si vous multipliez ce chiffre, vous obtiendriez toujours un zéro, n'est-ce pas ? La chance n'est ni une activité ni un don, mais le résultat de vos efforts et de vos actions. Au golf, un trou d'un coup semble être un coup de chance. Alors, dites-moi, selon vous, le golfeur visait-il le trou ou à côté du trou ? La chance doit prendre sa place partout dans la vie, car elle fait appel à l'humilité. En général, l'homme préfère dire qu'il est chanceux plutôt que d'admettre qu'il a tout fait pour atteindre le résultat souhaité.

Croyez-vous que toutes les inventions ont été structurées, planifiées, calculées et prévues pour réussir dès le premier coup ? Croyez-vous que chaque parole d'une chanson est un hasard ? Évidemment non ! On dirait que les gagnants sont chanceux parce qu'ils tentent diverses formules, différentes approches et qu'ils réussissent.

À l'âge de quatorze ans, Bob Beamon était un fugueur. À New York, il a été placé en maison de détention pour s'être battu à l'école, pour avoir assailli certaines personnes et pour avoir volé. Après avoir pris la décision de changer sa vie et perfectionné ce qu'il aimait le plus au monde, ce jeune homme a été choisi pour faire partie de l'équipe olympique des États-Unis. Aux jeux de 1968, il a établi le record mondial avec un saut en longueur de 8,9 mètres. C'est la vie, et non la chance, qui lui a permis de revoir ses priorités et ses aspirations. Les gagnants sollicitent la venue de la chance en se posant la question suivante : « Qu'est-ce que je veux vraiment faire et comment vais-je m'y prendre pour y arriver ? » Ensuite, ils agissent en conséquence, tout simplement. Cette méthode ouvre toutes grandes les portes de la chance.

Celui qui croit ne pas être chanceux n'a qu'à passer quelque temps avec un sans-abri ou un grand brûlé ou encore un enfant qui est atteint de leucémie. Il verra sa perception de la chance changer rapidement. La chance n'est exclusive à personne. Souvenez-vous d'une chose : le mot chanceux est construit de deux mots, « chance » et « eux ». Alors, de la chance, il y en a pour tout le monde. Vous aussi, vous avez entre vos mains la recette pour créer votre chance et assurer votre réussite. Il est temps de vous mettre à l'ouvrage et je vous souhaite bonne chance !

Cinquième partie

31

Le sommet de la montagne

C'est cela, en définitive, le pouvoir, agir en dépassant les difficultés, en évitant les embuscades, en entraînant ceux qui lambinent.

FRANCESCO ALBERONI

Malgré toutes ces informations, que faire si vous ne pouvez toujours pas soulever vos montagnes ? Cela veut-il dire que vous ne pouvez pas accomplir l'impossible ? Cela veut-il dire que vous ne pourrez pas réussir et ne vivrez jamais le succès ?

Regardons l'histoire de ce frêle garçon, Alfred Bessette, le huitième d'une famille de dix enfants, de Saint-Grégoire au Québec. Ce dont on se rappellera du jour de sa naissance, c'est que les Bessette étaient bien pauvres. La force et la richesse de cette famille se trouvaient dans les sourires sereins de la mère et des enfants. Les Bessette avaient une force d'âme et une immense foi en leur survie. Dans cette famille, les frères et les sœurs s'admiraient mutuellement. Les parents n'avaient pas beaucoup d'argent et encore moins les moyens de s'offrir une grande maison ou d'acheter des jouets aux enfants. La richesse de cette famille résidait dans l'amour et l'attention que les membres avaient les uns pour les autres.

À douze ans, Alfred est devenu orphelin et est allé vivre à Saint-Césaire, chez sa tante Marie-Rosalie Foisy, auprès de ses cinq cousins et cousines. Cependant, le séjour chez sa tante n'a pas été bien long, car l'espace manquait. Le jeune garçon a dû se trouver un nouveau toit pour vivre. Il est entré en pension chez un fermier. S'il n'a pas poursuivi ses études, c'est qu'il lui a fallu se mette très jeune à gagner son pain. Il allait chercher du bois à Rougemont. Il travaillait aussi comme ferblantier et parfois dans un atelier de bois. Il a été boulanger, cordonnier et apprenti menuisier. « Travailler le cuir presque à quatre pattes, taper du marteau toute la journée, ce n'est pas l'idéal pour faciliter la digestion », dira le jeune homme. Depuis sa naissance, Alfred avait toujours eu une constitution très fragile. Il ne digérait rien et avait beaucoup de difficulté à faire les labours, un travail qui exigeait une grande force physique. Malgré tout, il ne se plaignait jamais.

À cette époque, les cultivateurs les moins nantis devaient souvent faire émigrer des membres de leur famille aux États-Unis pour qu'ils y gagnent l'argent nécessaire au paiement des dettes accumulées. Alfred a fait partie de cette catégorie de cultivateurs. À vingt-deux ans, il est revenu au pays et a travaillé comme gardien de cour, chargé du cheval, du jardin et des gros ouvrages. Encore une fois, il a été éprouvé par les dures nécessités de la vie. Il devait déménager une fois de plus et poursuivre son chemin. Tout ça ne l'a pas découragé.

Où aller ? Il ne pouvait songer à se réfugier chez des membres de sa parenté, ces derniers ne pouvant ni le nourrir ni lui procurer du travail. Un 25 juillet, à l'âge de vingt-cinq ans, Alfred s'installait au Collège Notre-Dame sur la rue de la Côte-des-Neiges, où il s'est joint aux postulants et a revêtu une soutane noire. Lors de l'ordination, le prêtre s'est adressé à lui en ces termes : « Recevez cet habit, symbole de la pureté et de l'humilité. Dans le monde, vous vous appeliez Alfred Bessette ; vous porterez désormais le nom de frère André. »

Le collège était situé juste de l'autre côté de la montagne, au flanc du mont Royal, une terre abrupte, sauvage, peuplée d'érables, de chênes et de bouleaux. Le jeune homme avait plusieurs fonctions : il était portier, infirmier, chargé du corridor de la communauté, lampiste, responsable de l'entretien et de la distribution du linge, balayeur de la chapelle, des corridors, des chambres et des escaliers. De plus, il avait la tâche de monter le bois de chauffage dans les chambres. Bref, malgré sa petite constitution, il ne s'est jamais plaint. Il était occupé. À vrai dire, il n'avait jamais la chance de s'asseoir.

Malgré son grand espoir de se vouer à l'enseignement comme les autres frères, il n'a pas été autorisé à prononcer ses vœux. En raison de la précarité de son état de santé et de son manque d'instruction, il était condamné à demeurer au service des gens. Malgré sa déception, il a conservé une attitude positive et la volonté d'en faire plus. Sa détermination et sa capacité au travail lui ont donné la chance de voir plus grand. De l'étroite petite fenêtre de sa chambre, il a continué à regarder la montagne et a poursuivi sa mission.

Le frère André avait un âme tendre, une charité admirable, et ses paroles persuasives lui gagnaient des amis : il ne blâmait jamais les autres. Il était plein d'attentions prévenantes envers tout le monde. C'est lorsqu'il avait trop de besogne et qu'il n'en pouvait plus qu'il laissait paraître le plus de joie. « Je suis heureux d'avoir tant de travail », disait-il. Avec toutes ses responsabilités et malgré sa force de volonté, son estomac demeurait fragile. En guise de repas, le frère prenait un demi-bol de lait coupé avec un peu d'eau, dans lequel il trempait des croûtons de pain sec. Jusqu'à la fin de ses jours, ce fut son repas.

Arrivé à la quarantaine, le frère André était perçu par ses semblables comme un modèle de perfection. Les gens le respectaient et, lui, il les saluait. Il avait toujours ce candide sourire d'enfant. Il faisait preuve d'une dignité simple et remarquable ; il était aimable et charitable. Il réunissait toutes les qualités d'un champion. Entre autres, sa candeur se faisait sentir dans les soins qu'il prodiguait aux petits enfants. Patient et doux avec les bambins, il aimait leur raconter de petites histoires. Dans sa fonction de portier du collège, il était vigilant et courtois mais ferme. Il a aussi eu la charge de prendre soin des pauvres. Il avait un grand cœur et une générosité sans bornes pour autrui. Bref, tout le monde l'aimait. Malgré ses multiples tâches et obligations, le frère André gardait toujours un œil sur la montagne.

Un jour, une certaine rumeur a commencé à circuler autour du portier de Notre-Dame concernant les visites faites aux malades. Le remplaçant du frère André a été le premier étonné par la longueur des absences de ce dernier. Le simple fait d'aller porter du courrier au bureau de poste, à une distance de cinq minutes, occasionnait une absence prolongée. Le remplaçant a plus tard appris que le frère André distribuait aux malades et aux démunis de petits flacons d'huile brûlée devant la statue de saint Joseph. Petit à petit, les visiteurs ont commencé à venir dans le parloir juste à côté de la chambre du frère André, une petite pièce d'à peine 1,8 mètre de large, où il dormait sur un banc recouvert d'une mince bourrure. Tant les gens en santé que les malades voulaient voir le frère André. Au début, ils venaient par petits groupes. Par la suite, de plus en plus de gens se présentaient pour voir le petit portier afin qu'il leur apporte ses conseils, son écoute attentive, un mot d'encouragement, et leur procure un flacon d'huile de saint Joseph. Bientôt, il y a eu tellement de monde que le frère André a dû recevoir les personnes à l'extérieur du collège, dans une ancienne gare située tout près.

La mission du frère André a commencé à prendre forme. Le frère désirait construire un oratoire en honneur de saint Joseph. Sa conviction, sa patience, son humilité et son profond désir de concrétiser sa vision ont été couronnés le 22 juillet 1896, alors que l'achat du terrain a été finalement conclu. À cinquante et un ans, à l'âge où la majorité des gens comptent le nombre d'années et de mois qu'il leur reste avant leur retraite, le laborieux portier a été le premier à se mettre à la tâche. Aujourd'hui, il est devenu un exemple vivant en ce qui concerne la possibilité de transformer un rêve en réalité. Malgré sa santé toujours délicate et fragile, il a élargi le sentier, coupé les raidillons et construit quelques marches d'escalier. L'année suivante, on a érigé un petit kiosque en bois rond pour recevoir les malades. Cependant, le portier voyait grand, beaucoup plus grand ! Il savait qu'un jour il y aurait une chapelle, une crypte et une basilique. Avec les dons des malades, des pauvres, des riches et des amis, il a récolté suffisamment d'argent pour, petit à petit, bâtir sa première chapelle. Sa vision s'est dessinée à partir de ses propres actions et de sa volonté infaillible de réussir.

Le portier a eu une « vision » : l'image de son œuvre achevée. Il devait construire une basilique. Il a reçu peu d'appui de sa communauté et vécu de grandes réticences. Comme la plupart des gagnants, il n'a pas abandonné. Il a essuyé plusieurs refus et subi un grand nombre de défaites. Or, comme un vrai guerrier, il ne s'est pas considéré comme battu. Il avait la responsabilité de concrétiser son rêve. Jadis, une idée avait germé dans ses pensées : un rêve ne se questionne pas, il se construit. Une fois de plus, habité d'une foi immense et d'une grande persévérance, il a si bien plaidé sa cause auprès des autorités qu'il a finalement gagné. « Ramassez les fonds et vous pourrez construire votre basilique », lui a-t-on dit. Il n'en demandait pas davantage. Il a déposé sa statue de saint Joseph exactement où il voulait construire sa basilique. À ce moment-là, il y avait plus de vingt-cinq ans que, de la petite fenêtre de sa chambre, il voyait la montagne. Son rêve, sa mission et son but ultime se sont matérialisés.

Tous les soirs, après son travail de portier, il escaladait la montagne avec la détermination du lion, l'énergie d'un gamin et la ferme volonté de construire. Son comportement et son enthousiasme étaient contagieux : il était un exemple stimulant pour tous ceux qui le connaissaient. À cinquante-neuf ans, alors que la plupart des personnes comptent les valeurs accumulées de leurs régimes de rentes, lui, il se rendait à la gare rencontrer les malades, les pauvres et les pèlerins pour les écouter et les aider. Ensuite, il retournait au sommet de la montagne.

L'année suivante, le 1er juin 1905, le premier pèlerinage a été organisé sur la montagne qui allait devenir une sorte de « mont des Oliviers ». Cependant, ce n'est qu'en mai 1916 que la construction de la crypte a réellement commencé. Le frère André avait alors soixante et onze ans. À l'âge où plusieurs gens se retirent en Floride et se la coulent douce, le portier voyait les artistes, les architectes et les artisans bâtir cette masse de blancheur, cette image de pureté, ce grand lieu de silence.

Les malades venaient toujours vers lui pour des guérisons de l'âme et du corps, des guérisons dont il a toujours nié la responsabilité, dont il n'a jamais pris le crédit. En 1921, un article est paru dans une revue de Toronto sous le titre *The Miracle Man.*

L'« homme miracle », c'était Alfred Bessette, dit le frère André. C'était un homme d'une foi peu ordinaire, d'une charité héroïque et d'une constance incroyable. Il croyait en son rêve ! Il devait construire son rêve ! Il a réalisé son rêve ! D'une conviction invincible et d'une confiance inébranlable, il est toujours demeuré humble, clairvoyant, modeste et positif. Malgré les embûches, il n'a jamais abandonné son rêve ! Il possédait toutes les qualités essentielles d'un vrai champion !

Le secret de sa réussite, c'était la réalisation de son œuvre ! Si jamais vous ne pouvez soulever des montagnes, faites comme le *Miracle Man*, construisez votre demeure au sommet de l'une d'elles et amenez-y les gens avec vous. Soyez créatif ! Voyez grand ! Restez positif ! Voyez-vous au sommet et ayez toujours à l'esprit que, vous aussi, vous pouvez réussir l'impossible.

Le *Miracle Man* est mort un mercredi, soit le 6 janvier 1937. Il avait atteint l'âge de quatre-vingt-douze ans.

Conclusion

Vous avez un but dans la vie ! Celui d'être heureux, de vivre dans l'abondance et de partager. Vous avez les capacités de rêver, d'oser, de risquer, d'essayer de produire des résultats. Votre mission est de vous surpasser, de voir grand et de clairement déterminer votre chemin vers la réussite et le bonheur. Matérialisez les aspirations qui vous donnent de la confiance, de l'énergie et de l'amour-propre. Acceptez le fait que vous êtes le seul responsable de vos choix, de vos efforts et de vos attentes. Soyez la personne que vous admirez, qui vous impressionne et qui vous inspire.

La vie vous procure de multiples occasions de vous améliorer, d'avancer et de vivre le succès. Il faut cependant deux ingrédients essentiels pour arriver à soulever des montagnes : agir et ne jamais lâcher.

Saviez-vous que Winston Churchill, l'un des plus grands orateurs du monde moderne, a dû reprendre trois fois sa huitième année scolaire ? En dépit de son immense talent d'orateur, il n'arrivait pas à passer ses cours d'anglais. Vers la fin de sa carrière, l'université d'Oxford lui a demandé de venir présenter un discours sur sa vision politique, sur l'éducation et sur l'orientation du pays. Lorsqu'il a été sur le podium, il a enlevé son chapeau, a déposé son cigare et a dit :

> « Ma vision politique : ne lâchez jamais ! »
> « Ma vision sur l'éducation : ne lâchez jamais ! »
> « Ma vision sur l'orientation du pays : ne lâchez jamais ! »

Ensuite, il a remercié les gens pour leur temps, il a remis son chapeau, repris son cigare et est parti sous les applaudissements de son auditoire.

Une fois que vous aurez cerné un rêve, *le bon rêve*, celui qui vous démange, celui qui vous empêche de dormir, celui qui demeure dans vos pensées le jour comme la nuit, vous saurez ! Vous n'aurez plus aucun doute. *Agissez !* Votre vraie mission dans la vie est comme l'amour ; vous devez l'obtenir et ne jamais cesser de l'alimenter. Pour terminer, je vous invite à conjuguer ce verbe le plus motivant que je connaisse :

> « J'agis, tu agis, il agit, nous agissons, vous agissez, ils agissent. »

Conjuguer en latin veut dire unir. En unissant vos efforts pour vous diriger vers votre but, vous arriverez à soulever vos montagnes et réussirez l'impossible !

* * *

Conférences – Séminaires – Formations

Monsieur Guy Cabana, conférencier professionnel, donne des conférences en entreprise et lors de congrès, sur les sujets suivants :

Soulevez des montagnes

La négociation efficace

Attention! vos gestes vous trahissent

Vous pouvez visiter son site web :

www.guycabana.ca

ou

téléphoner au

(450) 443-0863

Table des matières

TROISIÈME PARTIE

QUATRIÈME PARTIE

CINQUIÈME PARTIE